Le gâteau magique

焼くと3つの"層"ができる、
不思議でおいしいお菓子

魔法のケーキ

荻田尚子

基本の作り方

Vanille

バニラ

Introduction

不思議でおいしい魔法のケーキ

génoise

crème

flan

いちばん上は、やわらかくてふわふわのスポンジ生地。
真ん中には、とろりとした濃厚なクリーム、
底には、心地よいしなやかさのあるフラン。
口に含めば、それぞれの食感がハーモニーを奏で、
今までにないおいしさを体験することができます。

そして肝心なのはここ！
これらの3つの層は、それぞれのテクスチャーを個別に作って、
あとから重ねるわけではなく、焼きっぱなしのお菓子のように、
1つの生地を焼けば、自然とできあがるものだということ。
それがLe gâteau magique、つまり「**魔法のケーキ**」。

特別な道具も材料も必要ありません。
ごくごく普通の、別立て生地の一種です。
少し変わったところがあるといえば、これくらい。

①低温（150℃）で焼きます。
真ん中のクリームの層にはあまり熱が伝わらないよう、低い温度で加熱します。焼き菓子は一般的に180℃前後で焼くことが多いのですが、このケーキは150℃で焼きます。35分ほどかけて、じっくりと火を通します。

②卵黄生地とメレンゲは完全には混ぜ合わせません。
別立て生地は、卵黄ベースの生地と、卵白を泡立てたメレンゲを別々に作り、最後に混ぜ合わせてから焼く生地ですが、このケーキでは2つの生地を完全には混ぜ合わせません。型に流し込むと、液状の生地が下にたまり、メレンゲとやや混ざり合ったものがその上に、いちばん上にはメレンゲが浮いている状態になります。これでいいのです。

③湯せん焼きして、その後に冷やします。
「湯せん焼き」はチーズケーキ、プリン、スフレなどで用いる焼き方です。火の入り方がやわらかくなり、魔法のケーキのスポンジ生地をふんわりと仕上げてくれます。最後に冷蔵室で冷やし、クリームの層を安定させます。

このポイントさえはずさなければ、いつもの道具、いつもの材料で、
今すぐにでも作ることができるのです。

フランスで生まれ、あっというまに大人気となったこのケーキを、
本書では、より作りやすく、よりおいしく、
日本向けにアレンジしてご紹介します。
どうぞ楽しく作って、おいしく召しあがってください。

La recette de base

基本の作り方 { *Vanille* バニラ }

基本の作り方を解説します。
迷ったときはここを読み返してください。
バニラビーンズのくだり以外はほぼ共通です。

材料〔直径15cm丸型1台分〕

◆ 卵黄生地

卵黄	2個分(約40g)
グラニュー糖	45g
バター	60g
薄力粉	50g
牛乳	250ml
バニラビーンズ	1/4本

◆ メレンゲ

卵白	2個分(約60g)
グラニュー糖	25g

粉砂糖 適量

卵は卵黄と卵白に分け、それぞれ大きめのボウルに入れる。卵白は使うまでは冷蔵室に入れておく。

下準備

・バニラビーンズはナイフでさやを縦に裂き、種をこそげ取る。小鍋に牛乳とバニラビーンズのさやと種を入れて弱火で熱し、鍋の縁がふつふつとし始めたら火を止め、ふたをしてそのまま約50℃に冷ます。

→このプロセスは「バニラ」のみです。バニラペースト小さじ1/2でも代用できます。その際は4のタイミングで牛乳とともに加え混ぜてください。

・バターは湯せんで溶かし、常温(約25℃)に冷ます。

→溶けたバターが分離していても問題ありません。

・薄力粉はふるう。

→あらかじめふるっておくとだまになりづらく、作業もスムーズに。

・型にオーブンシートを敷く。

→必ず底がとれないタイプの型を使います。詳しくはP63で。

・バットにペーパータオル2枚を敷き、オーブンの天板にのせる。

→下からの火を弱めるため。バットは型より大きく、深さ3cm以上のものを使用すること。焼く直前に型をバットにのせ、バットに湯を注ぎます。

・湯(分量外)を沸かし、約60℃に冷ます。

→バットに注ぐ湯です。湯温はなるべく60℃前後にしてください。

・オーブンは150℃に予熱する。

→予熱時間は機種によって異なります。タイミングを計って予熱を始めてください。

ナイフの背で種をこそげ取り、さやとともに牛乳に加える。

小鍋などに湯を沸かし、耐熱ボウルに入れたバターを入れて溶かす。

万能こし器や目の細かいざるなどに粉を入れ、手を差し入れて回し、粉を落とす。オーブンシートなどで受ける。

1 卵黄に砂糖をすり混ぜる

卵黄生地を作る。ボウルに卵黄とグラニュー糖を入れ、泡立て器で全体が白っぽくなるまで大きな円を描くようにしてすり混ぜる。

ボウルの下にはぬれぶきんを敷いておくと混ぜやすい。グラニュー糖の粒が見えなくなって、色がほんの少し白っぽくなればOK。

2 溶かしバターを加え混ぜる

溶かしたバターを加え、全体が完全になじむように混ぜる。

このときバターは常温にしておく。

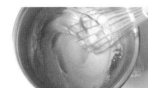

バターが生地になじめばOK。

3 薄力粉を加え混ぜる

薄力粉を加え、大きな円を描くようにして、生地につやが出るまで2〜3分混ぜる。

混ぜていると生地がどんどん重くなる。がんばってしっかり混ぜて。

生地を持ち上げるとゆっくりと落ちて、しばらくは形が残る程度になればOK。

4 牛乳を加え混ぜる

バニラビーンズのさやを取り除いて牛乳の¼量を加え、生地になじませるようにして混ぜ、よく溶きのばす。残りの牛乳を加えてさらに混ぜ、全体を液状にする。

このレシピでは牛乳をいったん熱してバニラビーンズの香りを移しているが、ほかのレシピでは常温(約25℃)で使う。全体がなじめばOK。

牛乳をすべて加えると、せっかくまとめた生地が液状になってしまうが、これでOK。どうか気にせず。

5 卵白を泡立てる

メレンゲを作る。別のボウルに卵白を入れ、ハンドミキサーの低速で30秒ほどほぐす。グラニュー糖の½量を加え、ボウルの中でハンドミキサーを大きく回しながら高速で30秒ほど泡立てる。残りのグラニュー糖を加えて30秒ほど泡立て、低速にしてさらに1分ほど泡立てる。つやがあり、すくうとつのがぴんと立つくらいになったらOK。

砂糖を加えると泡立ちがよくなる。初めの30秒でしっかりと空気を含ませて泡立て、最後の1分できめを整える。

持ち上げるとしっかりとしたつのができるくらいの固さにする。すぐに卵黄生地と合わせて。

6 生地を合わせる

卵黄生地にメレンゲを加え、泡立て器で生地を底からすくい上げるようにして5〜6回混ぜる(あまり混ぜ合わせない)。さらに表面に浮いているメレンゲを泡立て器の先端で軽く混ぜてほぐす。

泡立て器でボウルの底から生地をすくい上げるようにして混ぜる。羽根の中にメレンゲが詰まってしまったら落として。これを5〜6回。

下には液状の卵黄生地があって、中間にメレンゲと卵黄生地が少し混ざっていて、上に小さなかたまりに分かれたメレンゲがある状態。

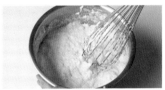

泡立て器の先端で表面のメレンゲをなでるようにして細かくし、ならす。これくらいでOK。

7 生地を型に入れる

型に6を静かに流し入れ、ゴムべらの先端で表面をなじませて平らにする。

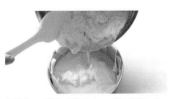

生地はこの状態。液体とメレンゲは分離していて構わない。

流し込むと液体が下に、メレンゲが表面に浮く。表面のメレンゲを平らにならす。

8 オーブンで湯せん焼きする

型をバットにのせ、バットに湯を深さ2cmほどまで注ぎ入れる。予熱したオーブンの下段に入れ、30〜35分焼く。

チーズケーキなどで使う「湯せん焼き」で焼く。型を置いた状態でバットに湯を注ぐ。バットの代わりにひと回り大きいタルト型などでも構わない。厚手の耐熱容器だと、下からの火が弱すぎてフランの層がうまくできない可能性があるのでNG。15〜20分たったころに、天板の前後を入れ替えると、むらなく火が入る。

9 粗熱をとり、冷蔵室で冷やす

竹串を生地の縁から中心に向かって斜めに刺し、とろっとしたクリーム状の生地がつけばOK。型ごと室温において粗熱をとり、ラップをして冷蔵室に入れ、2時間以上冷やす。型からはずし、粉砂糖をふり、好みの大きさに切り分ける。

真ん中の層がクリーム状になっていたらOK。液体に近い状態だった場合は、＋5分ずつ焼いて様子を見る。粗熱をしっかりとってから、冷蔵室へ。

よくある質問をまとめました。
疑問に思うことがあったときは、
まずはここを読んでください。

よくある質問

なぜ3つの層ができるのですか？

卵黄生地とメレンゲの混ぜ方、
そして火の入り方がポイントです。

メレンゲの部分がスポンジになります。メレンゲがきめ細かくないと、ふわふわのスポンジ生地にはならないのでしっかり泡立てることと、混ぜるときに泡を消さないようにすることが大切。液体の部分がフランの層とクリームの層になります。低い温度でじっくり長時間焼くことによってフランの層ができて、火のあたりが遠い部分（中心部分）がクリームの層になります。火が強かったり、必要以上に長い時間焼いてしまうと、クリームの部分もフランになってしまうので注意が必要です。

牛乳を加えたらバシャバシャになってしまいました。
大丈夫でしょうか？

大丈夫です！

お菓子の生地作りは、さまざまな材料をできるだけ自然に混ぜ合わせていく作業です。魔法のケーキの生地の場合は、まず卵黄に砂糖を混ぜ合わせ、次に溶かしバター、粉と加え混ぜていきますが、この過程において、材料はしっかり混ざり合って、おいしいケーキに焼き上がるための成分が準備されつつあります。牛乳を加え混ぜることでバシャバシャになってしまっても、その成分が失われることはありません。安心して作り続けてください。

ガスオーブンなのですが、
焼成温度と時間はそのままでよいでしょうか？

そのままでOKです。

本書のレシピは電気オーブンを基準にしています。一般的には電気オーブンよりもガスオーブンのほうが火力が強く、安定していて、焼成温度は低く、焼成時間は短くなる傾向があるのですが、このケーキに関しては、このレシピ通りで大丈夫です。はっきりとした原因はわかりませんが、低温で長時間焼く独特の方法のためかもしれません。

卵黄生地はハンドミキサーで
混ぜてもよいですか？

問題ありません。ただしメレンゲを作る前に
羽根はきれいに洗って、よく拭いてください。

メレンゲを泡立てる際に、ボウルや泡立て器の羽根に水分や油分がついていると、卵白の泡立ちが非常に悪くなり、よいメレンゲが作れません。メレンゲをしっかり泡立てることがスポンジ部分のおいしさにつながるので、必ずしっかり洗い、よく拭いてください。

もっと甘くしたいとき、もしくは甘さを抑えたいときに、
砂糖を増減しても問題ありませんか？

大丈夫です。
でもメレンゲの砂糖は減らしてはいけません。

卵黄生地のグラニュー糖の量を増減することで調整してください。±5g程度でしたら問題ありません。ただしメレンゲの砂糖は減らしてはいけません。メレンゲの砂糖には、甘みを加える以外にも、メレンゲの泡立てをよくする働きがあります。砂糖がないとよいメレンゲが作れず、スポンジ部分があまりふくらみません。なお、塩味の魔法のケーキには、砂糖は入れていません。

ちょうどよいバットがない場合は、
型を直接天板に置いて焼いてもよいですか？

できれば何かをはさんでください。
パイ皿やタルト型などでもOK。

天板にペーパータオル2枚を重ねて敷いて、その上に生地を入れた型を置いてもよいのですが、大量の湯を注いだ天板をオーブンに入れるのはやや危険。できればひと回り大きいバットやパイ皿、タルト型などを使ったほうが安全です。必ず200℃程度の耐熱性のあるものにしてください。

グラニュー糖は
上白糖でも大丈夫ですか？

大きな問題はありませんが、やや味が変わります。

大きな問題はありませんが、やや味が変わり、心なしかしっとり仕上がるかもしれません。基本的にお菓子作りには甘みにくせがないグラニュー糖が向いています。本書では製菓用にぴったりな、微粒子のグラニュー糖を使用しています。きび砂糖、黒砂糖などは、味にくせがあるのでおすすめできません。

牛乳は常温にもどさないと
いけませんか？

もどしてください。生焼けの原因になります。

牛乳の温度は22〜25℃が理想的です。冬場で室温が低いときは、電子レンジなどで数秒温めてください。牛乳が冷たいと生地全体の温度が低くなってしまい、火が通るまでの時間が変わってきてしまいます。長く焼かなければならなくなるので、クリームの層に火が通りすぎて、なくなってしまうことがあります。

焼き上がったケーキを早く冷やしたい場合は
冷凍室に入れてもよいですか？

責任は持てませんが、短時間なら大丈夫です。

責任は持てませんが…短時間なら大丈夫だと思います。ただし冷凍室に入れる場合でも、必ずあらかじめ粗熱はとってください。

Point essentiel
上手に作るためのポイント

ここだけは守ってほしい！というポイントです。
逆に言えば、ここさえ守れば上手に作れます。
どうか楽しんで作ってください。

卵黄生地とメレンゲは完全には混ぜ合わせません

この生地の最大の特徴です。卵黄生地とメレンゲを合わせる際に、完全にはなじませないのです。ボウルの底のほうには液体に近い卵黄生地が⅓ほど、上のほうにはメレンゲが浮いている状態で、中間部に少し混ざり合った生地がある、という上の写真のような状態がベスト。メレンゲのかたまりが浮いている場合は、泡立て器の先端で少しなじませます。この状態で型に流し込みます。

メレンゲはしっかり立てます

メレンゲは焼くとスポンジになります。この部分がふわふわであるほど、食感に変化が出ておいしくなります。メレンゲはしっかり立てて、なるべく早く卵黄生地と合わせ、焼いてください。しっかり泡立てても、放置しておくとどんどん泡が消えていってしまいます。ただし泡立てすぎると固くなりすぎてしまって、ふわふわに焼きあがりません。ちょうどいい頃合いを見つけてください。

薄力粉はよく混ぜます

卵黄生地を作る際に、もっとも重要なのは薄力粉を混ぜるプロセスです。ここは念入りに行ってください。小麦粉が水分に触れることによってグルテンという成分が作られ、まったりとしたクリームの層ができあがります。

低温、長時間で湯せん焼きします

これも大きな特徴です。プリンやチーズケーキなどを、しっとりと焼きたいときに使う方法です。火をやわらかく生地に入れることによって、真ん中のクリームの層ができます。

失敗したときは…

クリームの層がゆるすぎる

おそらくオーブンのパワーが弱く、焼成温度が低いか、焼き時間が足りていません。温度は10℃ずつ、時間は5分ずつプラスして、様子を見てください。バットの湯の温度が低い（約60℃が最適）、卵黄生地とメレンゲを混ぜなさすぎ（液状の生地の体積が½以上だと失敗しがち。⅓程度がベスト）、冷蔵室でしっかり冷やしていない、などの可能性もあります。くだものなどが入っていると、火が入りづらいこともあるので、焼き時間を長くしてください。

2層になってしまった

こちらは逆に焼きすぎです。焼き時間を10℃低くする、焼成時間を5分減らすなどしてみてください。また、バットの湯の温度が高すぎる（約60℃が最適）、卵黄生地とメレンゲを混ぜすぎている…などの可能性もあります。しかし、これはこれでおいしくいただけます。

Ustensiles
道具について

ボウル

卵黄と卵白を別々に作る別立て生地なので、主に2つのボウルを使います。ここで使用しているものは直径20cm、深さ10cm程度。大きめで口が狭く、深いものが効率よく混ぜられます。

泡立て器

ステンレス製で、なるべくワイヤーの本数が多いものをおすすめします。シリコン製は不向きです。写真はパティシエに定評のあるMATFERのものです。

ハンドミキサー

一般的なものなら問題ありません。安すぎるものは攪拌する力が弱い可能性があるので避けてください。レシピの混ぜ時間は目安なので、最終的には生地の状態を見て判断を。

ゴムべら

「ゴム」とは言っていますが、耐熱のシリコン製がおすすめ。しなやかで、ボウルの湾曲にもしっかりフィットします。一体成型で、余計な溝などがあまりないものがよいでしょう。

万能こし器

薄力粉をふるう際に使用します。専用の粉ふるいを使ってももちろん構いません。ほかにもクリームやソースをこしたり、ヨーグルトの水きりにも使用します。

その他
・型についてはP63をご覧ください。基本的には15cm丸型を使っています。
・オーブンで湯せん焼きする際にバットを使います。
・デコレーションをする場合はパレットナイフや回転台があると便利です。

Ingrédients
材料について

グラニュー糖

砂糖はグラニュー糖を使ってください。できれば製菓用の微粒子タイプが混ざりやすくておすすめです。上白糖でも構いませんが、やや味と食感が変わります。きび砂糖や黒砂糖、三温糖などはおすすめしません。

薄力粉

「スーパーバイオレット」という製菓向きの銘柄を使用しています。「バイオレット」でも構いません。「フラワー」は避けてください。

バター

本書では基本的に食塩不使用のものを使用していますが、それほど使用量が多いわけでもないので、なければ加塩のものでも構いません。発酵である必要はありません。

牛乳

ごく一般的な牛乳で構いませんが、低脂肪乳は使えません。豆乳を使用しているレシピもありますが、あっさりとした味になります。

卵

Mサイズを使用しています。目安としては1個あたり卵黄が20g、卵白が30gです。卵白が少ないとスポンジの層がうまく作れないので、場合によってはもう1個分足してください。

Sommaire
もくじ

《 この本の使い方 》
・材料は基本的に15cm丸型1台分です。レシピによっては15cmスクエア型、18cmパウンド型、直径10cmココットなどを使用していますが、
　同じ分量で作れます。詳しくはP63を参照してください。
・オーブンは電気オーブンを使用しています。焼成温度、時間は機種により異なりますので、様子を見ながら焼いてください。
・電子レンジは600Wのものを使用しています。W数に応じて加熱時間を調整してください。
・大さじ1は15㎖、小さじ1は5㎖です。

N キッシュみたいな 塩味の 魔法のケーキ

季節を祝う 魔法の ケーキ

いろいろな
魔法の
ケーキ

{ *Caramel au beurre salé* }
塩キャラメル

材料〔直径15cm丸型1台分〕

◆ 塩キャラメル

　水　小さじ1

　グラニュー糖　100g

　生クリーム(乳脂肪分47%)　100mℓ

　塩　小さじ½

　バター　30g

◆ 卵黄生地

　卵黄　2個分(約40g)

　バター　35g

　薄力粉　50g

　牛乳　220mℓ

◆ メレンゲ

　卵白　2個分(約60g)

　グラニュー糖　25g

下準備

・生クリームと牛乳は常温(約25℃)にもどす。

・卵黄生地のバターは湯せんで溶かし、常温(約25℃)に冷ます。

・薄力粉はふるう。

・型にオーブンシートを敷く(P63参照)。

・バットにペーパータオル2枚を敷き、オーブンの天板にのせる。

・湯(分量外)を沸かし、約60℃に冷ます。

・オーブンは150℃に予熱する。

作り方

1_ 塩キャラメルを作る。小鍋に水とグラニュー糖を入れ、あまりいじらずに中火で熱する。ときどき鍋を軽く揺すって全体をまんべんなく加熱し、グラニュー糖が溶けて色がつき始めたら、ゴムべらで色が均一になるように全体を混ぜる[a]。

2_ 小鍋を軽く揺すりながらさらに加熱し、沸騰して濃い茶色になったら[b]火を止めてひと呼吸おき、生クリームをゴムべらに伝わせながら少しずつ加える[c]。再び弱火で熱しながらゴムべらで手早く混ぜる[d]。

3_ 完全に混ざったら火を止め、塩とバターを加えて溶かし[e]、室温においてそのまま冷ます。80gは卵黄生地で使い、残りは**13**でソースとして使う(冷蔵室で保存しておく)。

4_ 卵黄生地を作る。ボウルに卵黄を入れ、泡立て器でほぐし混ぜる。

5_ 溶かしたバターを加え、全体が完全になじむように混ぜる。

6_ 薄力粉を加え、大きな円を描くようにして粉けがなくなるまで混ぜる。

7_ **3**の塩キャラメル40gを加えてよく混ぜ[f]、全体になじんだら残りの塩キャラメル40gを加え[g]、なめらかになるまで2分ほど混ぜる[h]。

8_ 牛乳の¼量を加え、生地になじませるようにして混ぜ、よく溶きのばす。残りの牛乳を加えてさらに混ぜ、全体を液状にする[i]。

9_ メレンゲをP7「基本の作り方」**5**と同様に作る[j]。

10_ 卵黄生地にメレンゲを加え、泡立て器で生地を底からすくい上げるようにして5〜6回混ぜる(あまり混ぜ合わせない)[k]。さらに表面に浮いているメレンゲを泡立て器の先端で軽く混ぜてほぐす。

11_ 型に**10**を静かに流し入れ、ゴムべらの先端で表面をなじませて平らにする。

12_ 型をバットにのせ、バットに湯を深さ2cmほどまで注ぎ入れる[l]。予熱したオーブンの下段に入れ、35〜40分焼く。

13_ 竹串を生地の縁から中心に向かって斜めに刺し、とろっとしたクリーム状の生地がつけばOK。型ごと室温において粗熱をとり、ラップをして冷蔵室に入れ、2時間以上冷やす。型からはずし、好みの大きさに切り分け、**3**のソース用の塩キャラメル適量をかける。

Note

・少々の塩が甘みと苦みを際立たせる。作りやすくておいしいレシピ。

・塩キャラメルに砂糖が入っているので、卵黄生地には砂糖は入れない。また、水分があるので、卵黄生地の牛乳は減らしている。

・塩キャラメルを作る際に、生クリームを加えるときは、絶対に一気に流し入れないようにする。はねるおそれがある。

・生地に塩キャラメルを加えた後、重くて混ぜにくい場合は牛乳の一部を少々加えるとよい。

コーヒー

材料〔15cmスクエア型1台分〕

◆ 卵黄生地

卵黄　2個分（約40g）

グラニュー糖　45g

バター　60g

インスタントコーヒー（顆粒）　5g

薄力粉　50g

牛乳　250ml

◆ メレンゲ

卵白　2個分（約60g）

グラニュー糖　25g

くるみ　20g

下準備

・牛乳は常温（約25℃）にもどす。

・バターは湯せんで溶かし、常温（約25℃）に冷ます。

・くるみは160℃に予熱したオーブンで10分ほどローストし、粗熱をとって、粗く刻む。

・薄力粉はふるう。

・型にオーブンシートを敷く（P63参照）。

・バットにペーパータオル2枚を敷き、オーブンの天板にのせる。

・湯（分量外）を沸かし、約60℃に冷ます。

・オーブンは150℃に予熱する。

作り方

1　卵黄生地を作る。ボウルに卵黄とグラニュー糖を入れ、泡立て器で全体が白っぽくなるまで大きな円を描くようにしてすり混ぜる。

2　溶かしたバターとインスタントコーヒーを加え、インスタントコーヒーが完全に溶けるまで混ぜる。

3　薄力粉を加え、大きな円を描くようにして、生地につやが出るまで2〜3分混ぜる。

4　牛乳の¼量を加え、生地になじませるようにして混ぜ、よく溶きのばす。残りの牛乳を加えてさらに混ぜ、全体を液状にする。

5　メレンゲを作る。別のボウルに卵白を入れ、ハンドミキサーの低速で30秒ほどほぐす。グラニュー糖の½量を加え、ボウルの中でハンドミキサーを大きく回しながら高速で30秒ほど泡立てる。残りのグラニュー糖を加えて30秒ほど泡立て、低速にしてさらに1分ほど泡立てる。つやがあり、すくうとつのがぴんと立つくらいになったらOK。

6　卵黄生地にメレンゲを加え、泡立て器で生地を底からすくい上げるようにして5〜6回混ぜる（あまり混ぜ合わせない）。さらに表面に浮いているメレンゲを泡立て器の先端で軽く混ぜてほぐす。

7　型にくるみをまんべんなく広げ、6をゴムべらに伝わせながら静かに流し入れ、ゴムべらの先端で表面をなじませて平らにする。

8　型をバットにのせ、バットに湯を深さ2cmほどまで注ぎ入れる。予熱したオーブンの下段に入れ、30〜35分焼く。

9　竹串を生地の縁から中心に向かって斜めに刺し、とろっとしたクリーム状の生地がつけばOK。型ごと室温において粗熱をとり、ラップをして冷蔵室に入れ、2時間以上冷やす。型からはずし、好みの大きさに切り分ける。

Note

・インスタントコーヒーで手軽に作れるレシピ。食感のアクセントにくるみをプラス。ただし入れなくてもおいしくいただける。

・このレシピのくるみのように、型に先に固形物を入れておく場合は、生地はゴムべらに伝わせて、静かに流し入れる。粗雑に流し入れると、型の底に敷いたくるみが偏る。

《 この章について 》

▶ 基本の生地に、少々のフレーバーを加えたバリエーション集です。
　難易度はそんなに高くないので、気軽に作ることができます。

▶ フレーバーが変わるだけで、ケーキの表情も一変します。いろいろな味を作って、楽しんでください。

▶ このケーキは、オーブンの機種によっても仕上がりに差が出る可能性があります。
　まずはこの章のケーキで、オーブンのくせをつかむとよいでしょう。

▶ 慣れてくれば自分でアレンジもできるようになることでしょう。

Matcha
抹茶

材料〔直径15cm丸型1台分〕

◆ 卵黄生地

卵黄　2個分（約40g）

グラニュー糖　45g

バター　60g

薄力粉　50g

抹茶パウダー　5g

牛乳　250mℓ

◆ メレンゲ

卵白　2個分（約60g）

グラニュー糖　25g

抹茶パウダー　適量

下準備

・牛乳は常温（約25℃）にもどす。

・バターは湯せんで溶かし、常温に冷ます。

・卵黄生地の抹茶パウダーは茶こしでふるい、さらに薄力粉と合わせてふるう。

・型にオーブンシートを敷く（P63参照）。

・バットにペーパータオル2枚を敷き、オーブンの天板にのせる。

・湯（分量外）を沸かし、約60℃に冷ます。

・オーブンは150℃に予熱する。

作り方

1＿ 卵黄生地を作る。ボウルに卵黄とグラニュー糖を入れ、泡立て器で全体が白っぽくなるまで大きな円を描くようにしてすり混ぜる。

2＿ 溶かしたバターを加え、全体が完全になじむように混ぜる。

3＿ 抹茶パウダーと合わせた薄力粉を加え、大きな円を描くようにして、生地につやが出るまで2〜3分混ぜる。

4＿ 牛乳の¼量を加え、生地になじませるようにして混ぜ、よく溶きのばす。残りの牛乳を加えてさらに混ぜ、全体を液状にする。

5＿ メレンゲをP7「基本の作り方」5と同様に作る。

6＿ 卵黄生地にメレンゲを加え、泡立て器で生地を底からすくい上げるようにして5〜6回混ぜる（あまり混ぜ合わせない）。さらに表面に浮いているメレンゲを泡立て器の先端で軽く混ぜてほぐす。

7＿ 型に6を静かに流し入れ、ゴムべらで表面をなじませて平らにする。

8＿ 型をバットにのせ、バットに湯を深さ2cmほどまで注ぎ入れる。予熱したオーブンの下段に入れ、30〜35分焼く。

9＿ 竹串を生地の縁から中心に向かって斜めに刺し、とろっとしたクリーム状の生地がつけばOK。型ごと室温において粗熱をとり、ラップをして冷蔵室に入れ、2時間以上冷やす。型からはずし、好みの大きさに切り分け、抹茶パウダーをふる。

Note

・緑色があざやかな和風の魔法のケーキ。あんこを添えても。

・抹茶パウダーが入っているとメレンゲがしぼみやすくなる。卵黄生地とメレンゲを合わせるところからは段取りよく行うこと。

材料〔18cmパウンド型2台分〕

◆ 卵黄生地

卵黄　2個分（約40g）

グラニュー糖　45g

バター　60g

紅茶葉　3g

薄力粉　50g

牛乳　250㎖

◆ メレンゲ

卵白　2個分（約60g）

グラニュー糖　25g

下準備

・牛乳は常温（約25℃）にもどす。

・バターは湯せんで溶かし、常温（約25℃）に冷ます。

・紅茶葉はできる限り細かく刻み、薄力粉と合わせてふるう。

・型にオーブンシートを敷く（P63参照）。

・バットにペーパータオル2枚を敷き、オーブンの天板にのせる。

・湯（分量外）を沸かし、約60℃に冷ます。

・オーブンは150℃に予熱する。

作り方

1＿ 卵黄生地を作る。ボウルに卵黄とグラニュー糖を入れ、泡立て器で全体が白っぽくなるまで大きな円を描くようにしてすり混ぜる。

2＿ 溶かしたバターを加え、全体が完全になじむように混ぜる。

3＿ 紅茶葉と合わせた薄力粉を加え、大きな円を描くようにして、生地につやが出るまで2～3分混ぜる。

4＿ 牛乳の¼量を加え、生地になじませるようにして混ぜ、よく溶きのばす。残りの牛乳を加えてさらに混ぜ、全体を液状にする。

5＿ メレンゲをP7「基本の作り方」5と同様に作る。

6＿ 卵黄生地にメレンゲを加え、泡立て器で生地を底からすくい上げるようにして5～6回混ぜる（あまり混ぜ合わせない）。さらに表面に浮いているメレンゲを泡立て器の先端で軽く混ぜてほぐす。

7＿ 型に6を静かに流し入れ、ゴムべらで表面をなじませて平らにする。

8＿ 型をバットにのせ、バットに湯を深さ2cmほどまで注ぎ入れる。予熱したオーブンの下段に入れ、30～35分焼く。

9＿ 竹串を生地の縁から中心に向かって斜めに刺し、クリーム状の生地がつけばOK。型ごと室温において粗熱をとり、ラップをして冷蔵室に入れ、2時間以上冷やす。型からはずし、好みの大きさに切り分ける。

Note

・もちろん紅茶によく合う。紅茶葉はアールグレイでもダージリンでも、好みのもので。

・紅茶葉は刻み方が粗いと食感が悪くなる原因に。ティーバッグの茶葉はあらかじめ細かく刻まれているのでおすすめ。製菓用紅茶（粉砕タイプ）を使うのもよい。

・パウンド型に生地を流し入れるときはレードルを使うとよい。

Thé noir
紅茶

Financier magique
フィナンシェ風

材料〔直径15cm丸型1台分〕

◆ 卵黄生地
　卵黄　2個分（約40g）
　グラニュー糖　45g
　バター　60g
　薄力粉　25g
　アーモンドパウダー　30g
　牛乳　250㎖

◆ メレンゲ
　卵白　2個分（約60g）
　グラニュー糖　25g

アーモンドダイス（ロースト済み）　適量

下準備

・P6「基本の作り方」の下準備と同様にする。ただし牛乳は加熱せず、常温（約25℃）にもどすだけでよい（バニラビーンズも不要）。バターは溶かさない。薄力粉はアーモンドパウダーと合わせてふるう。

・焦がしバターを作る。あらかじめボウルに水を張っておく。小鍋にバターを入れて中火で熱し、バターが溶け始めたら、ゴムべらで全体を混ぜながら溶かす。泡が消え、薄いきつね色になったら鍋底をボウルの水につけ、それ以上火が入るのを防ぐ。鍋が冷えたらボウルからはずし、茶こしでこして、そのまま常温（約25℃）に冷ます。

作り方

1＿ P6～7「基本の作り方」1～9と同様に卵黄生地とメレンゲを作って混ぜ合わせ、150℃に予熱したオーブンで35～40分焼き、粗熱をとって冷蔵室で冷やす。ただし2で溶かしたバターの代わりに焦がしバターを加え混ぜる。9で好みの大きさに切り、粉砂糖の代わりにアーモンドダイスを散らす。

Note

・焦がしバターとアーモンドの風味が特徴的なドゥミ・セック、フィナンシェをイメージした魔法のケーキ。溶かしバターの代わりに焦がしバターを使用している。

・焦がしバターは冷ましすぎると固まってしまうので注意。

Cheese-cake magique
チーズケーキ風

材料〔直径15cm丸型1台分〕

◆ 卵黄生地

　卵黄　2個分（約40g）

　グラニュー糖　45g

　クリームチーズ　100g

　薄力粉　45g

　牛乳　180mℓ

◆ メレンゲ

　卵白　2個分（約60g）

　グラニュー糖　25g

下準備

・クリームチーズは常温（約25℃）にもど
し、指がすっと入るくらいのやわらかさ
にする。

・牛乳は常温（約25℃）にもどす。

・薄力粉はふるう。

・型にオーブンシートを敷く（P63参照）。

・バットにペーパータオル2枚を敷き、オ
ーブンの天板にのせる。

・湯（分量外）を沸かし、約60℃に冷ます。

・オーブンは150℃に予熱する。

作り方

1_　卵黄生地を作る。ボウルに卵黄とグラニュー糖を入れ、泡立て器で全
体が白っぽくなるまで大きな円を描くようにしてすり混ぜる。

2_　クリームチーズを加え、全体が完全になじむように混ぜる。

3_　薄力粉を加え、大きな円を描くようにして、生地につやが出るまで2
〜3分混ぜる。

4_　牛乳の¼量を加え、生地になじませるようにして混ぜ、よく溶きのば
す。残りの牛乳を加えてさらに混ぜ、全体を液状にする。

5_　メレンゲをP7「基本の作り方」5と同様に作る。

6_　卵黄生地にメレンゲを加え、泡立て器で生地を底からすくい上げるよ
うにして5〜6回混ぜる（あまり混ぜ合わせない）。さらに表面に浮いて
いるメレンゲを泡立て器の先端で軽く混ぜほぐす。

7_　型に6を静かに流し入れ、ゴムべらで表面をなじませて平らにする。

8_　型をバットにのせ、バットに湯を深さ2cmほどまで注ぎ入れる。予熱
したオーブンの下段に入れ、30〜35分焼く。

9_　竹串を生地の縁から中心に向かって斜めに刺し、とろっとしたクリー
ム状の生地がつけばOK。型ごと室温において粗熱をとり、ラップをして冷
蔵室に入れ、2時間以上冷やす。型からはずし、好みの大きさに切り分ける。

Note

・バターの代わりにクリームチーズを使う。チーズケーキのような濃厚な味わいが楽しめる。

・クリームチーズが入るぶん、牛乳は減らしている。

Chocolat blanc
ホワイトチョコレート

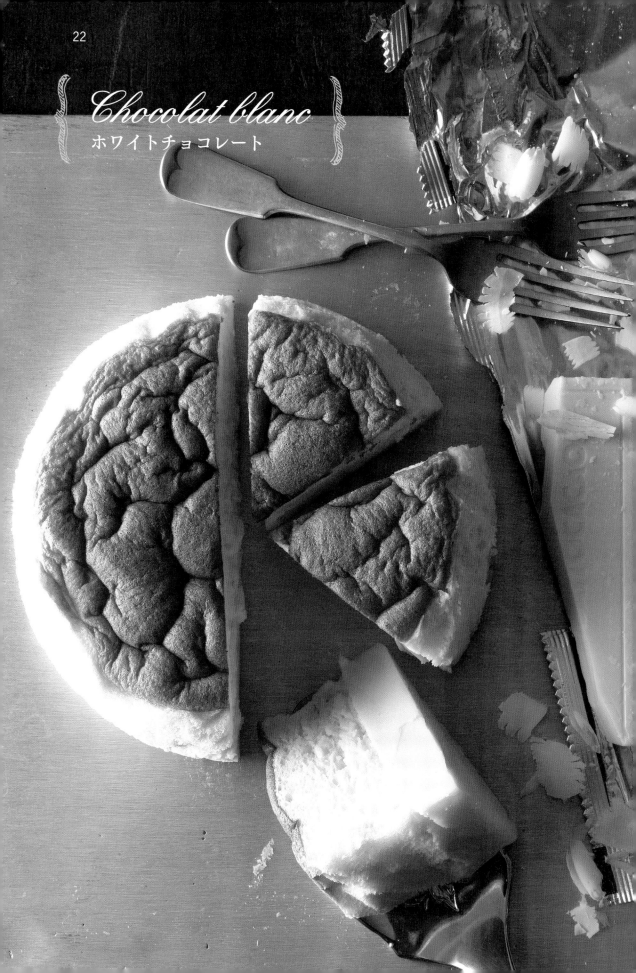

材料〔直径15cm丸型1台分〕

◆ 卵黄生地
- 卵黄　2個分（約40g）
- グラニュー糖　20g
- バター　50g
- ホワイトチョコレート（クーベルチュール）　80g
- 薄力粉　50g
- 牛乳　250mℓ

◆ メレンゲ
- 卵白　2個分（約60g）
- グラニュー糖　25g

ホワイトチョコレート
製菓用のクーベルチュールチョコレートを使用。VALRHONAの「イボワール」などがおすすめ。

下準備
- 牛乳は常温（約25℃）にもどす。
- ホワイトチョコレートは細かく刻み、バターとともに湯せんで溶かし[a]、泡立て器で混ぜ合わせる（湯せんの火は止め、そのままおいておく）。
- 薄力粉はふるう。
- 型にオーブンシートを敷く（P63参照）。
- バットにペーパータオル2枚を敷き、オーブンの天板にのせる。
- 湯（分量外）を沸かし、約60℃に冷ます。
- オーブンは150℃に予熱する。

作り方

1＿ 卵黄生地を作る。ボウルに卵黄とグラニュー糖を入れ、泡立て器で全体が少し白っぽくなるまで大きな円を描くようにしてすり混ぜる[b]。

2＿ 溶かしたバターとホワイトチョコレートを少しずつ加え[c]、全体が完全になじむように混ぜる[d]。

3＿ 薄力粉を加え、大きな円を描くようにして、生地につやが出るまで2〜3分混ぜる[e]。

4＿ 牛乳の¼量を加え、生地になじませるようにして混ぜ、よく溶きのばす。残りの牛乳を加えてさらに混ぜ、全体を液状にする[f]。

5＿ メレンゲを作る。別のボウルに卵白を入れ、ハンドミキサーの低速で30秒ほどほぐす。グラニュー糖の½量を加え、ボウルの中でハンドミキサーを大きく回しながら高速で30秒ほど泡立てる。残りのグラニュー糖を加えて30秒ほど泡立て、低速にしてさらに1分ほど泡立てる。つやがあり、すくうとつのがぴんと立つくらいになったらOK[g]。

6＿ 卵黄生地にメレンゲを加え、泡立て器で生地を底からすくい上げるようにして5〜6回混ぜる（あまり混ぜ合わせない）[h]。さらに表面に浮いているメレンゲを泡立て器の先端で軽く混ぜてほぐす[i]。

7＿ 型に6を静かに流し入れ[j]、ゴムべらの先端で表面をなじませて平らにする。

8＿ 型をバットにのせ、バットに湯を深さ2cmほどまで注ぎ入れる[k]。予熱したオーブンの下段に入れ、35〜40分焼く。

9＿ 竹串を生地の縁から中心に向かって斜めに刺し、とろっとしたクリーム状の生地がつけばOK[l]。型ごと室温において粗熱をとり、ラップをして冷蔵室に入れ、2時間以上冷やす。型からはずし、好みの大きさに切り分ける。

Note
- ホワイトチョコレートのマイルドな甘さがしみじみおいしい魔法のケーキ。
- 湯せんで溶かしたバターとホワイトチョコレートは冷ます必要はない。チョコレートは生地と混ざりにくいので、温かい状態で加えたほうがよい。
- 生地にバターとホワイトチョコレートを加えるとかなり重くなるが、根気よく、しっかり混ぜ合わせること。少しずつ加え混ぜて、なじませていくイメージで。
- ホワイトチョコレートが入るので、卵黄生地のグラニュー糖とバターの量は減らしている。

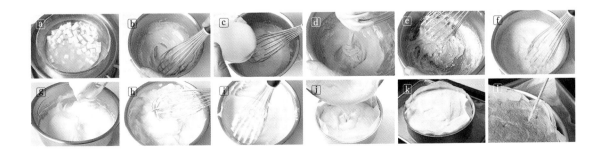

材料〔15cmスクエア型1台分〕

◆ 卵黄生地

卵黄　2個分(約40g)

メープルシロップ　60g

バター　60g

薄力粉　50g

牛乳　200mℓ

◆ メレンゲ

卵白　2個分(約60g)

グラニュー糖　25g

さつまいも　150g

下準備

・P6「基本の作り方」の下準備と同様にする。ただし牛乳は加熱せず、常温(約25℃)にもどすだけでよい(バニラビーンズも不要)。

・さつまいもは皮をむかずによく洗い、1cm角に切る。耐熱皿に並べてラップをかけ、電子レンジで1分ほど加熱し、やわらかくする。粗熱をとり、ペーパータオルでしっかりと水けを拭き取る。

作り方

1_ 卵黄生地を作る。ボウルに卵黄とメープルシロップを入れ、泡立て器で全体が完全になじむように1分ほどすり混ぜる。

2_ 溶かしたバターを加え、全体が完全になじむように混ぜる。

3_ 薄力粉を加え、大きな円を描くようにして、生地につやが出るまで2〜3分混ぜる。

4_ 牛乳の¼量を加え、生地になじませるようにして混ぜ、よく溶きのばす。残りの牛乳を加えてさらに混ぜ、全体を液状にする。

5_ メレンゲをP7「基本の作り方」5と同様に作る。

6_ 卵黄生地にメレンゲを加え、泡立て器で生地を底からすくい上げるようにして5〜6回混ぜる(あまり混ぜ合わせない)。さらに表面に浮いているメレンゲを泡立て器の先端で軽く混ぜてほぐす。

7_ 型にさつまいもをまんべんなく広げ、6をゴムべらに伝わせながら静かに流し入れ、ゴムべらの先端で表面をなじませて平らにする。

8_ 型をバットにのせ、バットに湯を深さ2cmほどまで注ぎ入れる。150℃に予熱したオーブンの下段に入れ、30〜35分焼く。

9_ 竹串を生地の縁から中心に向かって斜めに刺し、クリーム状の生地がつけばOK。型ごと室温において粗熱をとり、ラップをして冷蔵室に入れ、2時間以上冷やす。型からはずし、好みの大きさに切り分ける。

Note

・メープルシロップにさつまいも。やさしい甘みのコラボレーション。

・卵黄生地ではグラニュー糖の代わりにメープルシロップを使用。卵黄とメープルシロップは混ぜても白っぽくならないので、よく混ざれば問題ない。

Érable
メープル

材料〔直径15cm丸型1台分〕

◆ 卵黄生地

卵黄　2個分（約40g）

グラニュー糖　15g

はちみつ　40g

バター　60g

薄力粉　55g

牛乳　220㎖

◆ メレンゲ

卵白　2個分（約60g）

グラニュー糖　25g

はちみつ　適量

下準備

・牛乳は常温（約25℃）にもどす。

・バターは湯せんで溶かし、常温（約25℃）に冷ます。

・薄力粉はふるう。

・型にオーブンシートを敷く（P63参照）。

・バットにペーパータオル2枚を敷き、オーブンの天板にのせる。

・湯（分量外）を沸かし、約60℃に冷ます。

・オーブンは150℃に予熱する。

作り方

1＿　卵黄生地を作る。ボウルに卵黄とグラニュー糖を入れ、泡立て器で全体が少し白っぽくなるまで大きな円を描くようにしてすり混ぜる。

2＿　はちみつを加え、全体が完全になじむように1分ほど混ぜる。

3＿　溶かしたバターを加え、全体が完全になじむように混ぜる。

4＿　薄力粉を加え、大きな円を描くようにして、生地につやが出るまで2〜3分混ぜる。

5＿　牛乳の¼量を加え、生地になじませるようにして混ぜ、よく溶きのばす。残りの牛乳を加えてさらに混ぜ、全体を液状にする。

6＿　メレンゲをP7「基本の作り方」5と同様に作る。

7＿　卵黄生地にメレンゲを加え、泡立て器で生地を底からすくい上げるようにして5〜6回混ぜる（あまり混ぜ合わせない）。さらに表面に浮いているメレンゲを泡立て器の先端で軽く混ぜてほぐす。

8＿　型に7を静かに流し入れ、ゴムべらで表面をなじませて平らにする。

9＿　型をバットにのせ、バットに湯を深さ2㎝ほどまで注ぎ入れる。予熱したオーブンの下段に入れ、35〜40分焼く。

10＿竹串を生地の縁から中心に向かって斜めに刺し、とろっとしたクリーム状の生地がつけばOK。型ごと室温において粗熱をとり、ラップをして冷蔵室に入れ、2時間以上冷やす。型からはずし、好みの大きさに切り分け、はちみつをかける。

Note

・卵黄生地のグラニュー糖の一部をはちみつにし、さらに仕上げにはちみつをかける。じんわりとした甘みが加わり、食感がより複雑になって、一層おいしくなる。

Miel
はちみつ

材料〔直径15cm丸型1台分〕

◆ 卵黄生地

卵黄　2個分（約40g）

グラニュー糖　45g

バター　60g

薄力粉　50g

ピスタチオ（皮なし）　15g

牛乳　250ml

◆ メレンゲ

卵白　2個分（約60g）

グラニュー糖　25g

下準備

・P6「基本の作り方」の下準備と同様にする。ただし牛乳は加熱せず、常温（約25℃）にもどすだけでよい（バニラビーンズも不要）。

・ピスタチオはすり鉢に入れてよくする。分量の牛乳から大さじ2を加えてのばし、残りの牛乳を加えてよく混ぜ合わせる。

作り方

1　卵黄生地を作る。ボウルに卵黄とグラニュー糖を入れ、泡立て器で全体が白っぽくなるまで大きな円を描くようにしてすり混ぜる。

2　溶かしたバターを加え、全体が完全になじむように混ぜる。

3　薄力粉を加え、大きな円を描くようにして、生地につやが出るまで2〜3分混ぜる。

4　ピスタチオを混ぜた牛乳の¼量を加え、生地になじませるようにして混ぜ、よく溶きのばす。残りの牛乳を加えてさらに混ぜ、全体を液状にする。

5　メレンゲをP7「基本の作り方」5と同様に作る。

6　卵黄生地にメレンゲを加え、泡立て器で生地を底からすくい上げるようにして5〜6回混ぜる（あまり混ぜ合わせない）。さらに表面に浮いているメレンゲを泡立て器の先端で軽く混ぜてほぐす。

7　型に6を静かに流し入れ、ゴムべらで表面をなじませて平らにする。

8　型をバットにのせ、バットに湯を深さ2cmほどまで注ぎ入れる。150℃に予熱したオーブンの下段に入れ、35〜40分焼く。

9　竹串を生地の縁から中心に向かって斜めに刺し、クリーム状の生地がつけばOK。型ごと室温において粗熱をとり、ラップをして冷蔵室に入れ、2時間以上冷やす。型からはずし、好みの大きさに切り分ける。

Note

・ピスタチオの風味を生かした大人っぽい甘さの魔法のケーキ。

・すり鉢がない場合は、ミキサーや包丁でピスタチオをできるだけ細かく刻む。仕上げに粗く刻んだピスタチオを散らすのもおすすめ。

Pistache
ピスタチオ

材料〔直径15cm丸型1台分〕

◆ 卵黄生地

卵黄　2個分（約40g）

グラニュー糖　35g

バター　30g

ピーナッツバター（粗びき粒入り）　50g

薄力粉　50g

牛乳　250mℓ

◆ メレンゲ

卵白　2個分（約60g）

グラニュー糖　25g

ピーナッツバター
ここでは粗びきにしたピーナッツ
の粒入りのものを使用。メーカー
によって甘さや風味が異なるの
で、好みで選んで。

下準備

・P6「基本の作り方」の下準備と同様にす
る。ただし牛乳は加熱せず、常温（約25
℃）にもどすだけでよい（バニラビーン
ズも不要）。

・ピーナッツバターは湯せんでやわらか
くする。

作り方

1_ 卵黄生地を作る。ボウルに卵黄とグラニュー糖を入れ、泡立て器で全
体が白っぽくなるまで大きな円を描くようにしてすり混ぜる。

2_ 溶かしたバターとピーナッツバターを順に加え、そのつど全体が完全
になじむように混ぜる。

3_ 薄力粉と分量の牛乳から大さじ3〜4を加え、大きな円を描くように
して、生地につやが出るまで2〜3分混ぜる。

4_ 残りの牛乳の¼量を加え、生地になじませるようにして混ぜ、よく溶
きのばす。残りの牛乳すべてを加えてさらに混ぜ、全体を液状にする。

5_ メレンゲをP7「基本の作り方」**5**と同様に作る。

6_ 卵黄生地にメレンゲを加え、泡立て器で生地を底からすくい上げるよ
うにして5〜6回混ぜる（あまり混ぜ合わせない）。さらに表面に浮いてい
るメレンゲを泡立て器の先端で軽く混ぜてほぐす。

7_ 型に**6**を静かに流し入れ、ゴムべらで表面をなじませて平らにする。

8_ 型をバットにのせ、バットに湯を深さ2cmほどまで注ぎ入れる。150℃
に予熱したオーブンの下段に入れ、30〜35分焼く。

9_ 竹串を生地の縁から中心に向かって斜めに刺し、クリーム状の生地が
つけばOK。型ごと室温において粗熱をとり、ラップをして冷蔵室に入れ、2
時間以上冷やす。型からはずし、好みの大きさに切り分ける。

Note

・濃厚な甘さが楽しめる魔法のケーキ。ピーナッツの粒がアクセントに。

・ピーナッツバターはメーカーによって甘さが異なるので、卵黄生地のグラニュー糖の量で好
みの甘さに調節する。±5g程度が目安。

・生地が非常に重たくなるので、このレシピでは先に牛乳を少し加えて混ぜやすくしている。

Beurre de cacahuète
ピーナッツバター

Épices
スパイス

材料〔直径15cm丸型1台分〕

◆ 卵黄生地

　卵黄　2個分（約40g）

　グラニュー糖　45g

　バター　60g

　薄力粉　50g

　アニスパウダー、シナモンパウダー、
　ジンジャーパウダー、ナツメグパウダー
　　各小さじ1/5

　牛乳　250ml

◆ メレンゲ

　卵白　2個分（約60g）

　グラニュー糖　25g

スパイスパウダー各種
上記の4種類以外でも可。組み合
わせ方でいろいろな風味が楽し
める。数種類がブレンドされたミ
ックススパイスを使用してもよい。

下準備

・牛乳は常温（約25℃）にもどす。

・バターは湯せんで溶かし、常温（約25℃）
　に冷ます。

・薄力粉、アニス、シナモン、ジンジャー、
　ナツメグは合わせてふるう[a]。

・型にオーブンシートを敷く（P63参照）。

・バットにペーパータオル2枚を敷き、オ
　ーブンの天板にのせる。

・湯（分量外）を沸かし、約60℃に冷ます。

・オーブンは150℃に予熱する。

作り方

1＿　卵黄生地を作る。ボウルに卵黄とグラニュー糖を入れ、泡立て器で全体が白っぽくなるまで大きな円を描くようにしてすり混ぜる。

2＿　溶かしたバターを加え、全体が完全になじむように混ぜる。

3＿　スパイスと合わせた薄力粉を加え、大きな円を描くようにして、生地につやが出るまで2～3分混ぜる[b]。

4＿　牛乳の1/4量を加え、生地になじませるようにして混ぜ、よく溶きのばす。残りの牛乳を加えてさらに混ぜ、全体を液状にする[c]。

5＿　メレンゲを作る。別のボウルに卵白を入れ、ハンドミキサーの低速で30秒ほどほぐす。グラニュー糖の1/2量を加え、ボウルの中でハンドミキサーを大きく回しながら高速で30秒ほど泡立てる。残りのグラニュー糖を加えて30秒ほど泡立て、低速にしてさらに1分ほど泡立てる。つやがあり、すくうとつのがぴんと立つくらいになったらOK[d]。

6＿　卵黄生地にメレンゲを加え、泡立て器で生地を底からすくい上げるようにして5～6回混ぜる（あまり混ぜ合わせない）[e]。さらに表面に浮いているメレンゲを泡立て器の先端で軽く混ぜてほぐす。

7＿　型に6を静かに流し入れ、ゴムべらの先端で表面をなじませて平らにする。

8＿　型をバットにのせ、バットに湯を深さ2cmほどまで注ぎ入れる。予熱したオーブンの下段に入れ、30～35分焼く。

9＿　竹串を生地の縁から中心に向かって斜めに刺し、とろっとしたクリーム状の生地がつけばOK。型ごと室温において粗熱をとり、ラップをして冷蔵室に入れ、2時間以上冷やす。型からはずし、好みの大きさに切り分ける。

Note

・スパイスの組み合わせによっていろいろな風味が楽しめる魔法のケーキ。

・好きなスパイスがあれば使ってみて。シナモン＋クローブ＋オールスパイス（クローブとオールスパイスは少なめに）という組み合わせもおすすめ。総量を小さじ1弱にすればOK。

・複数組み合わせたほうが奥行きのある味になるが、すべてのスパイスをそろえる必要はない。シナモンだけでもおいしい。

Sésame

ごま

材料〔15cmスクエア型1台分〕

◆ 卵黄生地

卵黄　2個分（約40g）

グラニュー糖　45g

バター　60g

薄力粉　50g

黒すりごま　10g

豆乳（成分無調整）　250ml

◆ メレンゲ

卵白　2個分（約60g）

グラニュー糖　25g

下準備

・豆乳は常温（約25℃）にもどす。

・バターは湯せんで溶かし、常温（約25℃）に冷ます。

・薄力粉はふるい、黒すりごまと混ぜ合わせる。

・型にオーブンシートを敷く（P63参照）。

・バットにペーパータオル2枚を敷き、オーブンの天板にのせる。

・湯（分量外）を沸かし、約60℃に冷ます。

・オーブンは150℃に予熱する。

作り方

1＿ 卵黄生地を作る。ボウルに卵黄とグラニュー糖を入れ、泡立て器で全体が白っぽくなるまで大きな円を描くようにしてすり混ぜる。

2＿ 溶かしたバターを加え、全体が完全になじむように混ぜる。

3＿ 黒すりごまと合わせた薄力粉を加え、大きな円を描くようにして、生地につやが出るまで2～3分混ぜる。

4＿ 豆乳の¼量を加え、生地になじませるようにして混ぜ、よく溶きのばす。残りの豆乳を加えてさらに混ぜ、全体を液状にする。

5＿ メレンゲをP7「基本の作り方」5と同様に作る。

6＿ 卵黄生地にメレンゲを加え、泡立て器で生地を底からすくい上げるようにして5～6回混ぜる（あまり混ぜ合わせない）。さらに表面に浮いているメレンゲを泡立て器の先端で軽く混ぜてほぐす。

7＿ 型に6を静かに流し入れ、ゴムべらの先端で表面をなじませて平らにする。

8＿ 型をバットにのせ、バットに湯を深さ2cmほどまで注ぎ入れる。予熱したオーブンの下段に入れ、30～35分焼く。

9＿ 竹串を生地の縁から中心に向かって斜めに刺し、とろっとしたクリーム状の生地がつけばOK。型ごと室温において粗熱をとり、ラップをして冷蔵室に入れ、2時間以上冷やす。型からはずし、好みの大きさに切り分ける。

Note

・和菓子のような、品のいい魔法のケーキ。

・豆乳だとまろやかに仕上がるが、豆乳の代わりに同量の牛乳で作っても問題ない。

Variante
アレンジのこつ

慣れてきたらオリジナルのケーキを作ってみましょう。くだものや粉を加えること
で、さまざまにアレンジすることができます。その際の注意点をまとめました。

くだものを入れるときは…

1 くだものの甘さによって卵黄生地の砂糖の量を加減する。

→くだものが十分に甘い場合は－5gほど、甘さ控えめな場合は＋5〜10gが目安。

2 くだものの水分量によって粉の量、牛乳の量を加減する。

→水分が多いくだものの場合は粉の量は＋5g、牛乳は－5mℓが目安。

3 ペーパータオルなどで余計な水分は拭き取る。

→特に冷凍してあるくだものは、解凍時に水分が多く出るのでよく拭き取ること。

4 くだものから水分が出てくるので焼成時間はやや長くする。

→＋5〜10分くらいが目安。

ココアパウダーなどを入れるときは…

1 下準備で薄力粉と合わせてふるう。

→なるべく均等になるように。

2 卵黄生地に粉類を加え混ぜると生地が非常に固くなるので、牛乳を少し加える。

→大さじ1〜3程度。生地全体を少しやわらかくする。

3 卵黄生地が固くなるので、牛乳は50℃くらいに温めておく。

→湯せんにかけるか、電子レンジでさっと加熱して温めるとよい。

チョコレートを加えるときは…

1 バターといっしょに湯せんで溶かし、よく混ぜ合わせてから卵黄生地に加える。

→非常に分離しやすいので。小さい泡立て器があるとよい。温かい状態で生地に加える。

2 卵黄生地が固くなるので、牛乳は50℃くらいに温めておく。

→湯せんにかけるか、電子レンジでさっと加熱して温めるとよい。

くだもの
たっぷりの
魔法のケーキ

Pomme
りんご

材料〔直径15cm丸型1台分〕

◆ りんごのキャラメル煮
| りんご　1個（正味250g）
| 水　小さじ1
| グラニュー糖　40g

◆ 卵黄生地
| 卵黄　2個分（約40g）
| グラニュー糖　45g
| バター　60g
| 薄力粉　55g
| 牛乳　250㎖

◆ メレンゲ
| 卵白　2個分（約60g）
| グラニュー糖　25g

下準備

・牛乳は常温（約25℃）にもどす。

・バターは湯せんで溶かし、常温（約25℃）に冷ます。

・薄力粉はふるう。

・型にオーブンシートを敷く（P63参照）。

・バットにペーパータオル2枚を敷き、オーブンの天板にのせる。

・湯（分量外）を沸かし、約60℃に冷ます。

・オーブンは150℃に予熱する。

作り方

1_ りんごのキャラメル煮を作る。りんごは皮をむいて12等分のくし形に切り、芯を除く。

2_ 小鍋に水とグラニュー糖を入れ、あまりいじらずに中火で熱する。ときどき鍋を軽く揺すって全体をまんべんなく加熱し、グラニュー糖が溶けて色がつき始めたら、ゴムべらで色が均一になるように全体を混ぜる。

3_ 小鍋を軽く揺すりながらさらに加熱し、沸騰して濃い茶色になったら火を止めてひと呼吸おき、りんごを加える。

4_ 再び中火で熱し、ときどき混ぜながら、りんごから出てきた水分がほぼなくなるまで煮からめ、バットなどに広げて冷ます。りんごはペーパータオルで汁けをしっかりと拭き取り、型の底に放射状に並べる。残ったシロップは13でソースとして使う（冷蔵室で保存しておく）。

5_ 卵黄生地を作る。ボウルに卵黄とグラニュー糖を入れ、泡立て器で全体が白っぽくなるまで大きな円を描くようにしてすり混ぜる。

6_ 溶かしたバターを加え、全体が完全になじむように混ぜる。

7_ 薄力粉を加え、大きな円を描くようにして、生地につやが出るまで2〜3分混ぜる。

8_ 牛乳の¼量を加え、生地になじませるようにして混ぜ、よく溶きのばす。残りの牛乳を加えてさらに混ぜ、全体を液状にする。

9_ メレンゲを作る。別のボウルに卵白を入れ、ハンドミキサーの低速で30秒ほどほぐす。グラニュー糖の½量を加え、ボウルの中でハンドミキサーを大きく回しながら高速で30秒ほど泡立てる。残りのグラニュー糖を加えて30秒ほど泡立て、低速にしてさらに1分ほど泡立てる。つやがあり、すくうとつのがぴんと立つくらいになったらOK。

10_ 卵黄生地にメレンゲを加え、泡立て器で生地を底からすくい上げるようにして5〜6回混ぜる（あまり混ぜ合わせない）。さらに表面に浮いているメレンゲを泡立て器の先端で軽く混ぜてほぐす。

11_ 型に10を静かに流し入れ、ゴムべらの先端で表面をなじませて平らにする。

12_ 型をバットにのせ、バットに湯を深さ2cmほどまで注ぎ入れる。予熱したオーブンの下段に入れ、40〜45分焼く。

13_ 竹串を生地の縁から中心に向かって斜めに刺し、とろっとしたクリーム状の生地がつけばOK。型ごと室温において粗熱をとり、ラップをして冷蔵室に入れ、2時間以上冷やす。型からはずし、裏返して好みの大きさに切り分け、4のソース用のシロップ適量をかける。

Note
・キャラメリゼしたりんごのぜいたくな甘み！
・りんごは「ふじ」や「ゴールデンデリシャス」がおすすめだが、手に入るもので構わない。
・りんごのキャラメル煮が型に並べきれない場合は、焼き上がったケーキに添える。

Figues
いちじく

材料〔直径15cm丸型1台分〕

◆ 卵黄生地

卵黄　2個分（約40g）

グラニュー糖　45g

バター　60g

薄力粉　55g

牛乳　250ml

◆ メレンゲ

卵白　2個分（約60g）

グラニュー糖　25g

いちじく　3個（正味150g）

下準備

・牛乳は常温（約25℃）にもどす。

・バターは湯せんで溶かし、常温（約25℃）に冷ます。

・いちじくはよく水で洗い、ペーパータオルで水けを拭き取る。へたを切り落とし、縦4等分に切る⒜。

・薄力粉はふるう。

・型にオーブンシートを敷く（P63参照）。

・バットにペーパータオル2枚を敷き、オーブンの天板にのせる。

・湯（分量外）を沸かし、約60℃に冷ます。

・オーブンは150℃に予熱する。

作り方

1＿ 卵黄生地を作る。ボウルに卵黄とグラニュー糖を入れ、泡立て器で全体が白っぽくなるまで大きな円を描くようにしてすり混ぜる。

2＿ 溶かしたバターを加え、全体が完全になじむように混ぜる。

3＿ 薄力粉を加え、大きな円を描くようにして、生地につやが出るまで2～3分混ぜる。

4＿ 牛乳の¼量を加え、生地になじませるようにして混ぜ、よく溶きのばす。残りの牛乳を加えてさらに混ぜ、全体を液状にする⒝。

5＿ メレンゲを作る。別のボウルに卵白を入れ、ハンドミキサーの低速で30秒ほどほぐす。グラニュー糖の½量を加え、ボウルの中でハンドミキサーを大きく回しながら高速で30秒ほど泡立てる。残りのグラニュー糖を加えて30秒ほど泡立て、低速にしてさらに1分ほど泡立てる。つやがあり、すくうとつのがぴんと立つくらいになったらOK。

6＿ 卵黄生地にメレンゲを加え、泡立て器で生地を底からすくい上げるようにして5～6回混ぜる（あまり混ぜ合わせない）⒞。さらに表面に浮いているメレンゲを泡立て器の先端で軽く混ぜてほぐす。

7＿ 型の内側の側面にいちじくを貼りつけて並べ⒟、6を静かに流し入れ⒠、ゴムべらの先端で表面をなじませて平らにする。

8＿ 型をバットにのせ、バットに湯を深さ2cmほどまで注ぎ入れる⒡。予熱したオーブンの下段に入れ、40～45分焼く。

9＿ 竹串を生地の縁から中心に向かって斜めに刺し、とろっとしたクリーム状の生地がつけばOK。型ごと室温において粗熱をとり、ラップをして冷蔵室に入れ、2時間以上冷やす。型からはずし、好みの大きさに切り分ける。

Note

・夏から秋にかけてのいちじくがおいしい季節にぜひ。

・いちじくを型に貼りつけるときは、できるだけ隙間なく並べるときれいに仕上がる。

《 この章について 》

▶ くだものと組み合わせたワンランク上の魔法のケーキです。

▶ 生地と合わせる際に、くだものの汁けをしっかりとることがポイントです。くだものの水分量によって、焼き時間や生地の状態が変わることもあります。

▶ くだものは基本的に小さめ、薄めに切ります。大きいと生地に火が入りづらくなるおそれがあります。

▶ 慣れてきたら、好みのくだものを組み合わせて、アレンジしてみてください。

Ananas
パイナップル

材料〔直径15cm丸型1台分〕

◆ 卵黄生地

| 卵黄　2個分（約40g）
| グラニュー糖　40g
| バター　60g
| 薄力粉　55g
| 牛乳　220mℓ

◆ メレンゲ

| 卵白　2個分（約60g）
| グラニュー糖　25g

◆ クリーム

| サワークリーム　90g
| グラニュー糖　10g

パイナップル（缶詰・輪切り）　正味110g

下準備

・P6「基本の作り方」の下準備と同様にする。ただし牛乳は加熱せず、常温（約25℃）にもどすだけでよい（バニラビーンズも不要）。

・パイナップルは80gを5mm角に切り、ペーパータオルにはさんで汁けを拭き取る。残りのパイナップルは幅1cmに切り、同様に汁けを拭き取る。

作り方

1＿ P6〜7「基本の作り方」1〜6と同様に卵黄生地とメレンゲを作り、混ぜ合わせる。

2＿ 型に5mm角に切ったパイナップルをまんべんなく広げ、1をゴムべらに伝わせながら静かに流し入れ、ゴムべらの先端で表面をなじませて平らにする。

3＿ 型をバットにのせ、バットに湯を深さ2cmほどまで注ぎ入れる。150℃に予熱したオーブンの下段に入れ、35〜40分焼く。

4＿ 竹串を生地の縁から中心に向かって斜めに刺し、とろっとしたクリーム状の生地がつけばOK。型ごと室温において粗熱をとり、ラップをして冷蔵室に入れ、2時間以上冷やす。

5＿ クリームを作る。ボウルにサワークリームとグラニュー糖を入れ、泡立て器でグラニュー糖が溶けるまで混ぜる。

6＿ 4を型からはずし、クリームをのせ、パレットナイフで塗り広げる。幅1cmに切ったパイナップルを飾り、好みの大きさに切り分ける。

Note

・パイナップルの甘みとサワークリームの酸味が絶妙に組み合わさった、とてもさわやかな魔法のケーキ。

・クリームはのせるだけ、添えるだけでも構わない。写真にある波の模様は、スプーンの背で下から上に向かってすくうようにしてつけたもの。

Poire
洋なし

材料〔直径15cm丸型1台分〕

◆ 卵黄生地

　卵黄　2個分（約40g）

　グラニュー糖　45g

　バター　60g

　薄力粉　55g

　牛乳　230ml

◆ メレンゲ

　卵白　2個分（約60g）

　グラニュー糖　25g

◆ キャラメルソース

　グラニュー糖　60g

　水　30ml

洋なし（缶詰・半割り）　正味150g

下準備

・P6「基本の作り方」の下準備と同様にする。ただし牛乳は加熱せず、常温（約25℃）にもどすだけでよい（バニラビーンズも不要）。

・洋なしは横に幅3mmに切り、ペーパータオルにはさんで汁けを拭き取る。

作り方

1＿ P6〜7「基本の作り方」1〜6と同様に卵黄生地とメレンゲを作り、混ぜ合わせる。

2＿ 型に洋なしを並べ（重なっても可）、1を静かに流し入れ、ゴムべらの先端で表面をなじませて平らにする。

3＿ 型をバットにのせ、バットに湯を深さ2cmほどまで注ぎ入れる。150℃に予熱したオーブンの下段に入れ、40〜45分焼く。

4＿ 竹串を生地の縁から中心に向かって斜めに刺し、とろっとしたクリーム状の生地がつけばOK。型ごと室温において粗熱をとり、ラップをして冷蔵室に入れ、2時間以上冷やす。

5＿ キャラメルソースを作る。小鍋にグラニュー糖を入れ、あまりいじらずに中火で熱する。ときどき鍋を軽く揺すって全体をまんべんなく加熱し、グラニュー糖が溶けて色がつき始めたら、ゴムべらで色が均一になるように全体を混ぜる。

6＿ 小鍋を軽く揺すりながらさらに加熱し、沸騰して濃い茶色になったら火を止めてひと呼吸おき、水をゴムべらに伝わせながら少しずつ加える。

7＿ 再び弱火で熱し、ゴムべらで手早く混ぜ、なめらかになったら火を止める。室温においてそのまま冷ます。

8＿ 4を型からはずし、好みの大きさに切り分け、キャラメルソースを注いだ器に盛る。

Note

・洋なしもキャラメルとよく合うくだもの。デセール感覚でいただく。

・キャラメルソースは、水を一気に加えるとはねる危険性がある。必ず鍋の中が落ち着いてから、少しずつ加えること。

材料〔直径15cm丸型1台分〕

◆ 卵黄生地

　　卵黄　2個分（約40g）

　　グラニュー糖　45g

　　バター　60g

　　薄力粉　55g

　　ドライマンゴー　50g

　　プレーンヨーグルト（無糖）　50g

　　牛乳　220㎖

◆ メレンゲ

　　卵白　2個分（約60g）

　　グラニュー糖　25g

◆ ヨーグルトクリーム

　　プレーンヨーグルト（無糖）　100g

　　生クリーム（乳脂肪分47%）　50㎖

　　グラニュー糖　10g

マンゴー（あれば）　¼個（約50g）

前日の下準備

・卵黄生地のドライマンゴー
　は5㎜角に切り、ヨーグ
　ルトと混ぜ合わせ、冷蔵
　室に入れてひと晩おく。

下準備

・ヨーグルトクリームのヨーグルトはペーパータオルを敷いたざるにのせ、
　ボウルに重ね、冷蔵室に3～4時間おいて水きりし、約50gにする。

・P6「基本の作り方」の下準備と同様にする。ただし牛乳は加熱せず、常温（約
　25℃）にもどすだけでよい（バニラビーンズも不要）。

作り方

1　P6～7「基本の作り方」1～8と同様に卵黄生地とメレンゲを作って
混ぜ合わせ、150℃に予熱したオーブンで40～45分焼く。ただし3で薄力
粉を混ぜた後に、混ぜ合わせたドライマンゴーとヨーグルトを加え、全体が
完全になじむように1分ほど混ぜる。

2　竹串を生地の縁から中心に向かって斜めに刺し、とろっとしたクリー
ム状の生地がつけばOK。型ごと室温において粗熱をとり、ラップをして冷
蔵室に入れ、2時間以上冷やす。

3　ヨーグルトクリームを作る。ボウルに水きりしたヨーグルト、生クリー
ム、グラニュー糖を入れ、ボウルの底を氷水にあてながら泡立て器で泡立て
る。すくうとぽってりと落ちるくらいになったらOK（八分立て）。

4　2を型からはずし、ヨーグルトクリームをのせてパレットナイフで塗り
広げる。あれば1㎝角に切ったマンゴーを飾り、好みの大きさに切り分ける。

Note

・ドライマンゴーは、ヨーグルトと合わせておくことでやわらかくなり、風味が増す。

・「基本の作り方」とは焼成時間が異なるので注意。水分が多いので長めに焼く。

・ヨーグルトクリームはのせるだけ、添えるだけでもOK。写真にある表面の模様は、パレット
　ナイフでさっとなでるようにしてつのをつけたもの。

Mangue
マンゴー

材料〔直径15cm丸型1台分〕

◆ 卵黄生地

卵黄　2個分（約40g）

グラニュー糖　50g

バター　60g

薄力粉　50g

レモン果汁　30mℓ（1～2個分）

牛乳　220mℓ

◆ メレンゲ

卵白　2個分（約60g）

グラニュー糖　25g

◆ ホイップクリーム

生クリーム（乳脂肪分47%）　100mℓ

グラニュー糖　7g

レモンの輪切り（あれば）　適量

ミント（あれば）　適量

下準備

・P6「基本の作り方」の下準備と同様にする。ただし牛乳は加熱せず、常温（約25℃）にもどすだけでよい（バニラビーンズも不要）。

作り方

1　P6～7「基本の作り方」1～8と同様に卵黄生地とメレンゲを作って混ぜ合わせ、150℃に予熱したオーブンで30～35分焼く。ただし**3**で薄力粉を混ぜた後に、レモン果汁を加え、全体が完全になじむように1分ほど混ぜる。

2　竹串を生地の縁から中心に向かって斜めに刺し、とろっとしたクリーム状の生地がつけばOK。型ごと室温において粗熱をとり、ラップをして冷蔵室に入れ、2時間以上冷やす。

3　ホイップクリームを作る。ボウルに生クリームとグラニュー糖を入れ、ボウルの底を氷水にあてながら泡立て器で泡立てる。すくうと泡立て器にからまって落ちないくらいになったらOK（九分立て）。

4　**2**を型からはずし、好みの大きさに切り分ける。スプーンでホイップクリームをすくい、形を整えてケーキにのせる。あればレモンの輪切りとミントを飾る。

Note

・レモンの香りが口の中に広がる、さっぱりとした魔法のケーキ。

・レモンは国産の、農薬、ポストハーベスト不使用のものを使うこと。

・ホイップクリームは放っておくと食感が悪くなるので、食べる直前に作るか、作ったら冷蔵室に入れておく。また、ここでは少し固めに仕上げているが、混ぜすぎると分離するので要注意。

Citron
レモン

Orange

オレンジ

材料〔15cmスクエア型1台分〕

◆ 卵黄生地

卵黄　2個分（約40g）

グラニュー糖　45g

バター　60g

薄力粉　55g

牛乳　適量（約150ml）

オレンジ果汁　1個分（約100ml）

◆ メレンゲ

卵白　2個分（約60g）

グラニュー糖　25g

◆ オレンジコンフィ

オレンジ　1個（200g）

水　80ml

グラニュー糖　150g

オレンジ　1個（正味120g）

前日の下準備

・オレンジコンフィを作る。オレンジはよく洗い、皮ごと厚さ5mmの輪切りにする。鍋にオレンジとひたひたの水（分量外）を入れて中火で熱し、沸騰したらざるに上げ、水けをきる。鍋に水とグラニュー糖を入れて中火で熱し、グラニュー糖が溶けたらオレンジを戻し入れ、弱火にしてさらに30分ほど煮る。汁けをきったオレンジを耐熱皿に並べ、電子レンジでラップをせずに5分ほど加熱する。網に上げ、室温にひと晩おいて乾燥させる。

下準備

・牛乳はオレンジ果汁に加え混ぜ、総量が250mlになるようにし、常温（約25℃）にもどす。

・バターは湯せんで溶かし、常温（約25℃）に冷ます。

・型に敷くオレンジは上下を切り落とし、薄皮ごと皮をむき[a]、厚さ5mmの輪切りにする[b]。ペーパータオルにはさんで、汁けを拭き取る。

・薄力粉はふるう。

・型にオーブンシートを敷く（P63参照）。

・バットにペーパータオル2枚を敷き、オーブンの天板にのせる。

・湯（分量外）を沸かし、約60℃に冷ます。

・オーブンは150℃に予熱する。

作り方

1_ 卵黄生地を作る。ボウルに卵黄とグラニュー糖を入れ、泡立て器で全体が白っぽくなるまで大きな円を描くようにしてすり混ぜる。

2_ 溶かしたバターを加え、全体が完全になじむように混ぜる。

3_ 薄力粉を加え、大きな円を描くようにして、生地につやが出るまで2〜3分混ぜる[c]。

4_ オレンジ果汁と混ぜ合わせた牛乳の¼量を加え、生地になじませるようにして混ぜ、よく溶きのばす。残りの牛乳を加えてさらに混ぜ、全体を液状にする[d]。

5_ メレンゲを作る。別のボウルに卵白を入れ、ハンドミキサーの低速で30秒ほどほぐす。グラニュー糖の½量を加え、ボウルの中でハンドミキサーを大きく回しながら高速で30秒ほど泡立てる。残りのグラニュー糖を加えて30秒ほど泡立て、低速にしてさらに1分ほど泡立てる。つやがあり、すくうとつのがぴんと立つくらいになったらOK[e]。

6_ 卵黄生地にメレンゲを加え、泡立て器で生地を底からすくい上げるようにして5〜6回混ぜる（あまり混ぜ合わせない）[f]。さらに表面に浮いているメレンゲを泡立て器の先端で軽く混ぜてほぐす。

7_ 型にオレンジの輪切りを重ならないように並べ、6を静かに流し入れ、ゴムべらの先端で表面をなじませて平らにする。

8_ 型をバットにのせ、バットに湯を深さ2cmほどまで注ぎ入れる。予熱したオーブンの下段に入れ、35〜40分焼く。

9_ 竹串を生地の縁から中心に向かって斜めに刺し、とろっとしたクリーム状の生地がつけばOK。型ごと室温において粗熱をとり、ラップをして冷蔵室に入れ、2時間以上冷やす。型からはずし、オレンジコンフィ適量をのせ、好みの大きさに切り分ける。

Note

・合計3個のオレンジを使用。生地にはオレンジ果汁と果肉、仕上げにオレンジコンフィを添えた、オレンジの香り豊かな魔法のケーキ。

・オレンジ1個からは約100mlの果汁がとれる。それ以下でも、牛乳と合わせて250mlになればOK。

・オレンジコンフィは市販品でも可。もしくは代わりにオレンジピールなどを散らしてもおいしい。

Banane
バナナ

材料〔直径15cm丸型1台分〕

◆ 卵黄生地

　卵黄　2個分（約40g）

　グラニュー糖　40g

　バター　60g

　薄力粉　55g

　バナナ（熟したもの）　1本（正味100g）

　牛乳　220mℓ

◆ メレンゲ

　卵白　2個分（約60g）

　グラニュー糖　25g

チョコチップ　25g

バナナの輪切り　½本分

下準備

・P6「基本の作り方」の下準備と同様にする。ただし牛乳は加熱せず、常温（約25℃）にもどすだけでよい（バニラビーンズも不要）。

・卵黄生地のバナナは皮をむいて長さ2cmに切り、フォークの背でつぶしてペースト状にする。

作り方

1＿ P6〜7「基本の作り方」1〜6と同様に卵黄生地とメレンゲを作って混ぜ合わせる。ただし3で薄力粉を混ぜた後に、ペースト状にしたバナナを加え、全体が完全になじむように1分ほど混ぜる。

2＿ 型にチョコチップをまんべんなく広げ、1をゴムべらに伝わせながら静かに流し入れ、ゴムべらの先端で表面をなじませて平らにする。

3＿ 型をバットにのせ、バットに湯を深さ2cmほどまで注ぎ入れる。150℃に予熱したオーブンの下段に入れ、40〜45分焼く。

4＿ 竹串を生地の縁から中心に向かって斜めに刺し、とろっとしたクリーム状の生地がつけばOK。型ごと室温において粗熱をとり、ラップをして冷蔵室に入れ、2時間以上冷やす。型からはずし、好みの大きさに切り分け、バナナの輪切りを飾る。

Note

・いちばん下のフラン生地にチョコとバナナがぎっしり。間違いなくおいしい組み合わせ。

・バナナはよく熟したもののほうが甘みが強く、つぶしやすい。

・ホイップした生クリームを添えてもよく合う。

Châtaigne
栗

材料〔18cmパウンド型2台分〕

◆ 卵黄生地

　卵黄　2個分（約40g）

　グラニュー糖　15g

　マロンクリーム　60g

　バター　60g

　薄力粉　45g

　牛乳　230mℓ

◆ メレンゲ

　卵白　2個分（約60g）

　グラニュー糖　25g

◆ クリーム

　生クリーム（乳脂肪分47%）　50mℓ

　マロンクリーム　25g

マロンクリーム
栗に砂糖やバニラビーンズなど
を加えてよく煮込み、ペースト状
にしたもの。ここではSABATON
の「CRÈME DE MARRONS」を
使用。パンにつけてもおいしい。

下準備

・P6「基本の作り方」の下準備と同様にする。ただし牛乳は加熱せず、常温（約25℃）にもどすだけでよい（バニラビーンズも不要）。

作り方

1_　P6〜7「基本の作り方」**1〜8**と同様に卵黄生地とメレンゲを作って混ぜ合わせ、150℃に予熱したオーブンで30〜35分焼く。ただし**1**で卵黄とグラニュー糖をすり混ぜた後に、マロンクリームを加え、全体が完全になじむように1分ほど混ぜる。

2_　竹串を生地の縁から中心に向かって斜めに刺し、とろっとしたクリーム状の生地がつけばOK。型ごと室温において粗熱をとり、ラップをして冷蔵室に入れ、2時間以上冷やす。

3_　クリームを作る。ボウルに生クリームを入れ、ボウルの底を氷水にあてながら泡立て器で泡立てる。とろみが強くなったら（七分立て）マロンクリームを加え、すくうとぽってりと落ちるくらいになるまで混ぜ合わせる。

4_　**2**を型からはずし、モンブラン用の口金をつけた絞り出し袋にクリームを入れ、ケーキの上に左右に移動しながら絞り出す。

Note

・パウンド型に生地を流し入れるときはレードルを使うとよい。型2台に等分に入れる。

・卵黄生地にマロンクリームを加えるので、グラニュー糖は減らしている。

・モンブラン用の口金がない場合は、丸や星型でも代用可。のせるだけでもよいので、好みのデコレーションでどうぞ。

材料〔直径15cm丸型1台分〕

◆ プルーンの赤ワイン煮（作りやすい分量）

　ドライプルーン（種なし）　200g

　赤ワイン　100mℓ

　水　100mℓ

　グラニュー糖　50g

　シナモンスティック　1本

　クローブ　2〜3粒

◆ 卵黄生地

　卵黄　2個分（約40g）

　グラニュー糖　45g

　バター　60g

　薄力粉　55g

　牛乳　250mℓ

◆ メレンゲ

　卵白　2個分（約60g）

　グラニュー糖　25g

下準備

・P6「基本の作り方」の下準備と同様にする。ただし牛乳は加熱せず、常温（約25℃）にもどすだけでよい（バニラビーンズも不要）。

作り方

1_　プルーンの赤ワイン煮を作る。鍋に材料すべてを入れて中火で熱し、煮立ったら弱火にしてさらに10分ほど煮る。火を止めてそのまま冷まし、5粒を1cm角に切り、ペーパータオルにはさんで汁けを拭き取る。残りは煮汁ごと保存容器に移して冷蔵室で保存する。

2_　P6〜7「基本の作り方」1〜6と同様に卵黄生地とメレンゲを作って混ぜ合わせる。

3_　型に1cm角に切ったプルーンの赤ワイン煮をまんべんなく広げ、2をゴムべらに伝わせながら静かに流し入れ、ゴムべらの先端で表面をなじませて平らにする。

4_　型をバットにのせ、バットに湯を深さ2cmほどまで注ぎ入れる。150℃に予熱したオーブンの下段に入れ、40〜45分焼く。

5_　竹串を生地の縁から中心に向かって斜めに刺し、とろっとしたクリーム状の生地がつけばOK。型ごと室温において粗熱をとり、ラップをして冷蔵室に入れ、2時間以上冷やす。型からはずし、好みの大きさに切り分ける。

Note

・赤ワイン煮にしたプルーンは、甘みと酸味がより強くなって、ケーキによく合う。

・プルーンの赤ワイン煮は作りやすい分量。残ったものは冷蔵保存すれば2〜3週間もつ。そのまま食べてもよいし、ヨーグルトにのせてもおいしい。

Pruneau

プルーン

材料〔15cmスクエア型1台分〕

◆ 卵黄生地

卵黄　2個分（約40g）

ラム酒　大さじ½

グラニュー糖　45g

バター　60g

薄力粉　55g

牛乳　250㎖

◆ メレンゲ

卵白　2個分（約60g）

グラニュー糖　25g

ラムレーズン（市販）　50g

下準備

・P6「基本の作り方」の下準備と同様にする。ただし牛乳は加熱せず、常温（約25℃）にもどすだけでよい（バニラビーンズも不要）。

・ラムレーズンはペーパータオルにはさんで汁けを拭き取る。

作り方

1_ 卵黄生地を作る。ボウルに卵黄を入れて泡立て器で溶きほぐし、ラム酒を加えてさっと混ぜる。

2_ グラニュー糖を加え、全体が白っぽくなるまで大きな円を描くようにしてすり混ぜる。

3_ P6〜7「基本の作り方」2〜6と同様に卵黄生地とメレンゲを作って混ぜ合わせる。

4_ 型にラムレーズンをまんべんなく広げ、3をゴムべらに伝わせながら静かに流し入れ、ゴムべらの先端で表面をなじませて平らにする。

5_ 型をバットにのせ、バットに湯を深さ2cmほどまで注ぎ入れる。150℃に予熱したオーブンの下段に入れ、30〜35分焼く。

6_ 竹串を生地の縁から中心に向かって斜めに刺し、とろっとしたクリーム状の生地がつけばOK。型ごと室温において粗熱をとり、ラップをして冷蔵室に入れ、2時間以上冷やす。型からはずし、好みの大きさに切り分ける。

Note

・ラム酒をほんのり効かせた大人の味。

・ラムレーズンは手作りしても。ドライレーズンに湯をかけて表面のオイルを落とし、水けをよくきり、ひたひたのラム酒に1日以上漬ければ完成。

Rhum raisin
ラムレーズン

Fruit rouge
フリュイ・ルージュ

材料〔直径15cm丸型1台分〕
◆ 卵黄生地
　卵黄　2個分（約40g）
　グラニュー糖　45g
　バター　60g
　薄力粉　55g
　牛乳　230ml
◆ メレンゲ
　卵白　2個分（約60g）
　グラニュー糖　25g
◆ マスカルポーネクリーム
　マスカルポーネ　100g
　グラニュー糖　10g
ミックスベリー（冷凍）　80g

下準備

・ミックスベリーはペーパータオルを敷い
　たバットにのせ、冷蔵室において解凍
　しa、さらにペーパータオルにはさんで
　汁けを拭き取る。
・牛乳は常温（約25℃）にもどす。
・バターは湯せんで溶かし、常温（約25℃）
　に冷ます。
・薄力粉はふるう。
・型にオーブンシートを敷く（P63参照）。
・バットにペーパータオル2枚を敷き、オー
　ブンの天板にのせる。
・湯（分量外）を沸かし、約60℃に冷ます。
・オーブンは150℃に予熱する。

作り方

1＿　卵黄生地を作る。ボウルに卵黄とグラニュー糖を入れ、泡立て器で全
体が白っぽくなるまで大きな円を描くようにしてすり混ぜる。

2＿　溶かしたバターを加え、全体が完全になじむように混ぜる。

3＿　薄力粉を加え、大きな円を描くようにして、生地につやが出るまで2
〜3分混ぜるⓑ。

4＿　牛乳の¼量を加え、生地になじませるようにして混ぜ、よく溶きのば
す。残りの牛乳を加えてさらに混ぜ、全体を液状にするⓒ。

5＿　メレンゲを作る。別のボウルに卵白を入れ、ハンドミキサーの低速で
30秒ほどほぐす。グラニュー糖の½量を加え、ボウルの中でハンドミキサー
を大きく回しながら高速で30秒ほど泡立てる。残りのグラニュー糖を加え
て30秒ほど泡立て、低速にしてさらに1分ほど泡立てる。つやがあり、すく
うとつのがぴんと立つくらいになったらOKⓓ。

6＿　卵黄生地にメレンゲを加え、泡立て器で生地を底からすくい上げるよ
うにして5〜6回混ぜる（あまり混ぜ合わせない）ⓔ。さらに表面に浮いて
いるメレンゲを泡立て器の先端で軽く混ぜてほぐす。

7＿　型にミックスベリーをまんべんなく広げ、6をゴムべらに伝わせなが
ら静かに流し入れⓕ、ゴムべらの先端で表面をなじませて平らにする。

8＿　型をバットにのせ、バットに湯を深さ2cmほどまで注ぎ入れるⓖ。予
熱したオーブンの下段に入れ、40〜45分焼く。

9＿　竹串を生地の縁から中心に向かって斜めに刺し、とろっとしたクリー
ム状の生地がつけばOKⓗ。型ごと室温において粗熱をとり、ラップをして
冷蔵室に入れ、2時間以上冷やす。

10＿マスカルポーネクリームを作る。ボウルにマスカルポーネとグラニュー
糖を入れ、よく混ぜ合わせる。

11＿9を型からはずし、好みの大きさに切り分け、マスカルポーネクリー
ムを添える。

Note
・「フリュイ・ルージュ」とはフランス語で「赤いくだもの」を意味する。
・今回使用したミックスベリーは、ラズベリー、カレンツ、ブラックベリー、ダークチェリー、ブ
　ルーベリーのブレンド。ない場合は何種類かの冷凍ベリーを混ぜたり、1種類で作っても
　OK。
・凍ったままのミックスベリーを使うと生焼けになる危険性があるので必ず解凍する。
・冷凍のくだものは水分が出やすいので、しっかりと水けを拭いてから型に入れる。
・マスカルポーネの代わりにサワークリームでもOK。

Gâteau de Noël classique
クラシックなクリスマスケーキ風

季節を祝う
魔法の
ケーキ

材料〔直径15cm丸型1台分〕

◆ 卵黄生地

卵黄　2個分(約40g)

グラニュー糖　45g

バター　60g

薄力粉　55g

フランボワーズピュレ(冷凍)　50ml

牛乳　200ml

◆ メレンゲ

卵白　2個分(約60g)

グラニュー糖　25g

◆ ホイップクリーム

生クリーム(乳脂肪分47%)　100ml

グラニュー糖　7g

いちご　150g

ピスタチオ(皮なし)　適量

下準備

・いちごはへたを落として横に幅5mmに切る。小さめのボウルに入れてグラニュー糖10g(分量外)を加え、ボウルを揺すって全体になじませ[a]、冷蔵室に1時間ほどおく。

・フランボワーズピュレは解凍する。

・牛乳は常温(約25℃)にもどす。

・バターは湯せんで溶かし、常温(約25℃)に冷ます。

・ピスタチオは160℃に予熱したオーブンで10分ほどローストし、粗熱をとり、粗く刻む。

・薄力粉はふるう。

・型にオーブンシートを敷く(P63参照)。

・バットにペーパータオル2枚を敷き、オーブンの天板にのせる。

・湯(分量外)を沸かし、約60℃に冷ます。

・オーブンは150℃に予熱する。

作り方

1_ 卵黄生地を作る。ボウルに卵黄とグラニュー糖を入れ、泡立て器で全体が白っぽくなるまで大きな円を描くようにしてすり混ぜる。

2_ 溶かしたバターを加え、全体が完全になじむように混ぜる。

3_ 薄力粉を加え、大きな円を描くようにして、生地につやが出るまで2～3分混ぜる。

4_ フランボワーズピュレを加え、全体が完全になじむように混ぜる[b]。

5_ 牛乳の¼量を加え、生地になじませるようにして混ぜ、よく溶きのばす。残りの牛乳を加えてさらに混ぜ、全体を液状にする[c]。

6_ メレンゲを作る。別のボウルに卵白を入れ、ハンドミキサーの低速で30秒ほどほぐす。グラニュー糖の½量を加え、ボウルの中でハンドミキサーを大きく回しながら高速で30秒ほど泡立てる。残りのグラニュー糖を加えて30秒ほど泡立て、低速にしてさらに1分ほど泡立てる。つやがあり、すくうとつのがぴんと立つくらいになったらOK[d]。

7_ 卵黄生地にメレンゲを加え、泡立て器で生地を底からすくい上げるようにして5～6回混ぜる(あまり混ぜ合わせない)[e]。さらに表面に浮いているメレンゲを泡立て器の先端で軽く混ぜてほぐす。

8_ 型に**7**を静かに流し入れ、ゴムべらの先端で表面をなじませて平らにする。

9_ 型をバットにのせ、バットに湯を深さ2cmほどまで注ぎ入れる。予熱したオーブンの下段に入れ、35～40分焼く。

10_ 竹串を生地の縁から中心に向かって斜めに刺し、とろっとしたクリーム状の生地がつけばOK。型ごと室温において粗熱をとり、ラップをして冷蔵室に入れ、2時間以上冷やす。

11_ ホイップクリームを作る。ボウルに生クリームとグラニュー糖を入れ、ボウルの底を氷水にあてながら泡立て器で泡立てる。とろみが強くなり、すくうと流れ落ちたあとが残るくらいになったらOK(七分立て)[f]。

12_ **10**を型からはずし、平皿にのせる。ホイップクリームをのせ[g]、パレットナイフで均一に塗り広げながら側面に落とす[h]。落ちづらいようなら皿を軽く揺する[i]。

13_ いちごを飾り[j]、ピスタチオを散らす。

Note

・昔ながらのいちごのショートケーキをイメージした魔法のケーキ。デコレーションはできる範囲で構わない。

・いちごにはグラニュー糖といっしょに好みでキルシュなどの酒をかけてもおいしい。

・ホイップクリームは少しゆるめに泡立てるのがポイント。クリームを何度もなでつけるとぼそぼそになってしまうので注意。

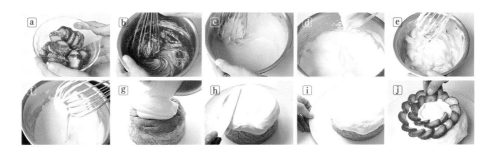

Bûche magique
ビュッシュ・ド・ノエル風

材料〔直径15cm丸型1台分〕

◆ 卵黄生地

卵黄　1個分（約20g）

グラニュー糖　20g

バター　30g

薄力粉　20g

ココアパウダー（無糖）　10g

牛乳　120㎖

◆ メレンゲ

卵白　1個分（約30g）

グラニュー糖　20g

◆ チョコレートクリーム

チョコレート（クーベルチュール）　25g

牛乳　25㎖

生クリーム（乳脂肪分47%）　100㎖

ココアパウダー（無糖）　適量

アラザン　適量

チョコレート
製菓用のクーベルチュールチョコ
レート。VALRHONAの「カラク」
や、苦いほうが好みなら「グアナ
ラ」などもおすすめ。

下準備

・卵黄生地の牛乳は湯せんにかけて約50
℃に温める。

・バターは湯せんで溶かし、常温（約25℃）
に冷ます。

・薄力粉とココアパウダーは合わせてふ
るう。

・型にオーブンシートを敷く（P63参照）。

・バットにペーパータオル2枚を敷き、オー
ブンの天板にのせる。

・湯（分量外）を沸かし、約60℃に冷ます。

・オーブンは150℃に予熱する。

作り方

1_ 卵黄生地を作る。ボウルに卵黄とグラニュー糖を入れ、泡立て器で全体が白っぽくなるまで大きな円を描くようにしてすり混ぜる。

2_ 溶かしたバターを加え、全体が完全になじむように混ぜる。

3_ ココアパウダーと合わせた薄力粉と分量の牛乳から大さじ1〜2を加え、大きな円を描くようにして、生地につやが出るまで2〜3分混ぜる。

4_ 残りの牛乳の¼量を加え、生地になじませるようにして混ぜ、よく溶きのばす。残りの牛乳すべてを加えてさらに混ぜ、全体を液状にする。

5_ メレンゲを作る。別のボウルに卵白を入れ、ハンドミキサーの低速で20秒ほどほぐす。グラニュー糖の½量を加え、ボウルの中でハンドミキサーを大きく回しながら高速で20秒ほど泡立てる。残りのグラニュー糖を加えて20秒ほど泡立て、低速にしてさらに40〜50秒泡立てる。つやがあり、すくうとつのがぴんと立つくらいになったらOK。

6_ 卵黄生地にメレンゲを加え、泡立て器で生地を底からすくい上げるようにして5〜6回混ぜる（あまり混ぜ合わせない）。さらに表面に浮いているメレンゲを泡立て器の先端で軽く混ぜほぐす。

7_ 型に**6**を静かに流し入れ、ゴムべらの先端で表面をなじませて平らにする。

8_ 型をバットにのせ、バットに湯を深さ2㎝ほどまで注ぎ入れる。予熱したオーブンの下段に入れ、25〜30分焼く。

9_ 竹串を生地の縁から中心に向かって斜めに刺し、とろっとしたクリーム状の生地がつけばOK。型ごと室温において粗熱をとり、ラップをして冷蔵室に入れ、2時間以上冷やす。

10_ チョコレートクリームを作る。チョコレートは細かく刻んで牛乳とともに耐熱ボウルに入れ、電子レンジで30秒ほど加熱して溶かす。泡立て器などでよく混ぜ、そのまま常温（約25℃）に冷ます。

11_ ボウルに**10**と生クリームを入れ、ボウルの底を氷水にあてながら泡立て器で泡立てる。すくうとぽってりと落ちるくらいになったらOK（八分立て）。

12_ 9を型からはずし、平皿にのせる。チョコレートクリームをのせ、パレットナイフで均一に塗り広げながら側面に落とす。パレットナイフを立てて側面も均一に塗り広げる。

13_ フォークで模様をつけⓐⓑ、ココアパウダーをふり、アラザンを散らす。

Note

・フランスのクリスマスケーキといえばビュッシュ・ド・ノエル。ビュッシュは「木」の意。年輪をかたどった模様をフォークでつける。

・チョコレートクリームの量とのバランスを考えて、生地は約半量にした。ほかのケーキよりも低めに仕上げる。

・ココアパウダーが入ると生地が重たくなるので、卵黄生地の牛乳は温めて加えている。

《 この章について 》

▶ クリスマスやバレンタインデー、ハロウィンなどのイベントを盛り上げる魔法のケーキを紹介します。

▶ それぞれデコレーションの方法を紹介していますが、みなさんがやりやすい方法でどうぞ。

▶ バレンタインデー用には、簡単なラッピングのアイデアも紹介します。

52

Saint-Valentin

バレンタイン

材料〔直径10cmココット3個分〕

◆ 卵黄生地

卵黄　2個分（約40g）

グラニュー糖　40g

バター　40g

チョコレート（クーベルチュール）　20g

薄力粉　45g

ココアパウダー（無糖）　10g

牛乳　250㎖

◆ メレンゲ

卵白　2個分（約60g）

グラニュー糖　25g

粉砂糖　適量

下準備

・牛乳は湯せんにかけて約50℃に温める。

・チョコレートは細かく刻み、バターとともに湯せんで溶かしⓐ、泡立て器で混ぜ合わせる（湯せんの火は止め、そのままおいておく）。

・薄力粉とココアパウダーは合わせてふるうⓑ。

・バットにペーパータオル2枚を敷き、オーブンの天板にのせる。

・湯（分量外）を沸かし、約60℃に冷ます。

・オーブンは150℃に予熱する。

作り方

1＿　卵黄生地を作る。ボウルに卵黄とグラニュー糖を入れ、泡立て器で全体が白っぽくなるまで大きな円を描くようにしてすり混ぜる。

2＿　溶かしたバターとチョコレートを少しずつ加え、全体が完全になじむように混ぜるⓒ。

3＿　ココアパウダーと合わせた薄力粉と分量の牛乳から大さじ2〜3を加え、大きな円を描くようにして、生地につやが出るまで2〜3分混ぜる。

4＿　残りの牛乳の¼量を加え、生地になじませるようにして混ぜ、よく溶きのばす。残りの牛乳すべてを加えてさらに混ぜ、全体を液状にするⓓ。

5＿　メレンゲを作る。別のボウルに卵白を入れ、ハンドミキサーの低速で30秒ほどほぐす。グラニュー糖の½量を加え、ボウルの中でハンドミキサーを大きく回しながら高速で30秒ほど泡立てる。残りのグラニュー糖を加えて30秒ほど泡立て、低速にしてさらに1分ほど泡立てる。つやがあり、すくうとつのがぴんと立つくらいになったらOK。

6＿　卵黄生地にメレンゲを加え、泡立て器で生地を底からすくい上げるようにして5〜6回混ぜる（あまり混ぜ合わせない）ⓔ。さらに表面に浮いているメレンゲを泡立て器の先端で軽く混ぜてほぐす。

7＿　ココットに6を静かに流し入れⓕ、ゴムべらで表面をなじませて平らにするⓖ。

8＿　ココットをバットにのせ、バットに湯を深さ2㎝ほどまで注ぎ入れⓗ。予熱したオーブンの下段に入れ、25〜30分焼く。

9＿　竹串を生地の縁から中心に向かって斜めに刺し、とろっとしたクリーム状の生地がつけばOK。ココットごと室温において粗熱をとり、ラップをして冷蔵室に入れ、2時間以上冷やす。粉砂糖をふる。

Note

・ココットごとプレゼントにする。スプーンで直接すくって召し上がれ。

・長時間持ち歩く場合は生焼けを防ぐために焼き時間を30〜35分にする。

・ココットに生地を流し入れるときはレードルを使うとよい。

・チョコレートはVALRHONAの「カラク」を使用。「グアナラ」や「カライブ」でも。

・チョコレートが固くならないように、温めた牛乳を使用している。

ラッピングのアイデア

1　包装紙（約40×30㎝）の中心にココットをのせる。

2　短辺をつまんで合わせる。

3　1㎝ほどの幅でココットの口にあたるまで2〜3回折り返す。

4　ココットに沿って一方の包装紙を押さえる。

5　その両サイドを内側に折りたたむ。

6　ココットの下に折り込む。もう一方も同様にし、紐で留める。

Saint-Valentin ganache
バレンタインの生チョコ風

材料〔18cmパウンド型2台分〕

◆ 卵黄生地

　卵黄　2個分（約40g）

　グラニュー糖　20g

　バター　55g

　チョコレート（クーベルチュール）　80g

　薄力粉　50g

　牛乳　250㎖

◆ メレンゲ

　卵白　2個分（約60g）

　グラニュー糖　25g

チョコレート（クーベルチュール）　30g

下準備

・P6「基本の作り方」の下準備と同様にする。ただし牛乳は湯せんにかけて約50℃に温める（バニラビーンズは不要）。バターは細かく刻んだチョコレート80gとともに湯せんで溶かし、泡立て器で混ぜ合わせる（温かいままにしておく）。

作り方

1＿ P6〜7「基本の作り方」1〜8と同様に卵黄生地とメレンゲを作って混ぜ合わせ、150℃に予熱したオーブンで45〜50分焼く。途中、15分ほどたったら型にアルミホイルをかぶせる[a]。

2＿ 竹串を生地の縁から中心に向かって斜めに刺し、とろっとしたクリーム状の生地がつけばOK。型ごと室温において粗熱をとり、ラップをして冷蔵室に入れ、2時間以上冷やす。型からはずし、ピーラーなどで削ったチョコレートを飾り、好みの大きさに切り分ける。

Note

・生チョコのような口どけが楽しめる濃厚な魔法のケーキ。

・チョコレートはVALRHONAの「カラク」を使用。

・この生地は焦げやすいので、焼いている途中でアルミホイルをかぶせる。

・チョコレートは混ざりづらいので温かい状態で加える。しっかり混ぜ合わせて。

・パウンド型に生地を流し入れるときはレードルを使うとよい。

材料〔15cmスクエア型1台分〕

◆ 卵黄生地

　卵黄　2個分（約40g）

　グラニュー糖　40g

　バター　60g

　薄力粉　50g

　ココアパウダー（無糖）　15g

　牛乳　250㎖

◆ メレンゲ

　卵白　2個分（約60g）

　グラニュー糖　25g

くるみ　50g

チョコレート（クーベルチュール）　30g

下準備

・P6「基本の作り方」の下準備と同様にする。ただし牛乳は湯せんにかけて約50℃に温める（バニラビーンズも不要）。薄力粉はココアパウダーと合わせてふるう。

・くるみは160℃に予熱したオーブンで10分ほどローストし、粗熱をとって、粗く刻む。

・チョコレートは粗く刻む。

作り方

1＿　P6〜7「基本の作り方」1〜6と同様に卵黄生地とメレンゲを作り、混ぜ合わせる。ただし3でココアパウダーと合わせた薄力粉を加える際に、分量の牛乳から大さじ2〜3をともに加える。

2＿　型にくるみの½量とチョコレートをまんべんなく広げ、1をゴムべらに伝わせながら静かに流し入れ、ゴムべらの先端で表面をなじませて平らにする。残りのくるみを全体に散らす。

3＿　型をバットにのせ、バットに湯を深さ2cmほどまで注ぎ入れる。150℃に予熱したオーブンの下段に入れ、30〜35分焼く。

4＿　竹串を生地の縁から中心に向かって斜めに刺し、とろっとしたクリーム状の生地がつけばOK。型ごと室温において粗熱をとり、ラップをして冷蔵室に入れ、2時間以上冷やす。型からはずし、好みの大きさに切り分ける。

Note

・チョコレート風味の焼き菓子の定番、ブラウニーを魔法のケーキにアレンジ。

・チョコレートはVALRHONAの「カラク」を使用。セミスイートタイプが向いている。

・チョコレートの代わりにチョコチップ、くるみの代わりにピーカンナッツなどを使ってもおいしい。

ラッピングのアイデア

カットしたケーキに合わせて切り出したオーブンシートを巻き、ワイヤー入りリボンで包む。

Brownies magiques
バレンタインのブラウニー風

Gâteau magique d'Halloween

ハロウィン

材料〔15cmスクエア型1台分〕

◆ 卵黄生地

　卵黄　2個分 (約40g)

　グラニュー糖　40〜45g

　バター　60g

　薄力粉　55g

　かぼちゃ　正味100g

　牛乳　200ml

◆ メレンゲ

　卵白　2個分 (約60g)

　グラニュー糖　25g

パンプキンシード (ロースト済み)　15g

下準備

・P6「基本の作り方」の下準備と同様にする。ただし牛乳は加熱せず、常温(約25℃)にもどすだけでよい(バニラビーンズも不要)。

・かぼちゃはわたと種を取り除き、ひと口大に切って皮をむく。耐熱皿にのせてラップをかけ、電子レンジで2分ほど加熱する。フォークの背で細かくつぶし a、粗熱をとる。

作り方

1_ P6〜7「基本の作り方」1〜6と同様に卵黄生地とメレンゲを作り、混ぜ合わせる。ただし3で薄力粉を混ぜた後に、かぼちゃを加え、さらに全体が完全になじむように1分ほど混ぜる。

2_ 型に1を静かに流し入れ、ゴムべらの先端で表面をなじませて平らにし、パンプキンシードを全体に散らす。

3_ 型をバットにのせ、バットに湯を深さ2cmほどまで注ぎ入れる。150℃に予熱したオーブンの下段に入れ、30〜35分焼く。

4_ 竹串を生地の縁から中心に向かって斜めに刺し、とろっとしたクリーム状の生地がつけばOK。型ごと室温において粗熱をとり、ラップをして冷蔵室に入れ、2時間以上冷やす。型からはずし、好みの大きさに切り分ける。

Note

・卵黄生地のグラニュー糖の量はかぼちゃの甘みに合わせて調節する。

材料〔直径15cm丸型1台分〕

◆ 卵黄生地

　卵黄　2個分（約40g）

　マヨネーズ　20g

　バター（加塩）　40g

　薄力粉　50g

　塩　小さじ⅔

　こしょう　少々

　牛乳　220㎖

◆ メレンゲ

　│　卵白　2個分（約60g）

ゆで卵　1個

ほうれん草　50g

サニーレタス（あれば）　適量

下準備

・P6「基本の作り方」の下準備と同様にする。ただし牛乳は加熱せず、常温（約25℃）にもどすだけでよい（バニラビーンズも不要）。

・ゆで卵は殻をむき、1.5cm角に切る。

・ほうれん草はさっとゆでて水にとり、水けをきる。長さ1cmに切り、しっかりと水けを絞る。

作り方

1＿　卵黄生地を作る。ボウルに卵黄を入れて泡立て器でさっとほぐし、マヨネーズを加えて全体が完全になじむように混ぜる。

2＿　溶かしたバターを加え、全体が完全になじむように混ぜる。

3＿　薄力粉、塩、こしょう、分量の牛乳から大さじ2～3を加え、大きな円を描くようにして、生地につやが出るまで2～3分混ぜる。

4＿　P7「基本の作り方」4～6と同様に作る。ただし5でメレンゲにグラニュー糖は加えず、最後の低速での泡立ては30秒にする。

5＿　型にゆで卵とほうれん草を並べ【a】、4をゴムべらに伝わせながら静かに流し入れ、ゴムべらの先端で表面をなじませて平らにする。

6＿　型をバットにのせ、バットに湯を深さ2cmほどまで注ぎ入れる。150℃に予熱したオーブンの下段に入れ、35～40分焼く。

7＿　竹串を生地の縁から中心に向かって斜めに刺し、とろっとしたクリーム状の生地がつけばOK。型ごと室温において粗熱をとり、ラップをして冷蔵室に入れ、2時間以上冷やす。型からはずし、好みの大きさに切り分け、あれば食べやすくちぎったサニーレタスを添える。

Note

・イースターといえば卵とほうれん草。食塩を使用した普通のバターを使い、グラニュー糖は使わない。朝食やブランチにぴったりなおかず系の魔法のケーキ。

Pâques

イースター

{ *Rose* }
ばら

材料〔直径15cm丸型1台分〕

◆ 卵黄生地

卵黄　2個分（約40g）

ばらシロップ　大さじ2

グラニュー糖　35g

バター　60g

薄力粉　55g

牛乳　200mℓ

◆ メレンゲ

卵白　2個分（約60g）

グラニュー糖　25g

◆ ホイップクリーム

生クリーム（乳脂肪分47%）　200mℓ

グラニュー糖　15g

◆ ばらのジュレ

水　大さじ1

粉ゼラチン　3g

食用ばらの花びら　4g

A┌ フランボワーズピュレ（冷凍）　10mℓ
　├ グラニュー糖　30g
　└ 水　150mℓ

フランボワーズ（生）　80g

ばらシロップ
MONINを使用。製菓材料店などで購入可。カクテルやスムージー、かき氷などにも活用できる。

フランボワーズピュレ
製菓材料店などで購入可能。写真はラ・フルティエールのもので250g入り。

食用ばら
食用として特別に栽培されたばら。生花店などで「エディブルフラワー」などの名称で売られている。

下準備

・フランボワーズピュレは解凍する。

・牛乳は常温（約25℃）にもどす。

・バターは湯せんで溶かし、常温（約25℃）に冷ます。

・薄力粉はふるう。

・型にオーブンシートを敷く（P63参照）。

・バットにペーパータオル2枚を敷き、オーブンの天板にのせる。

・湯（分量外）を沸かし、約60℃に冷ます。

・オーブンは150℃に予熱する。

作り方

1　P6〜7の「基本の作り方」**1**〜**6**と同様に卵黄生地とメレンゲを作り、混ぜ合わせる。ただし**1**でグラニュー糖を加える前に、泡立て器で卵黄を溶きほぐし、ばらシロップを加えてさっと混ぜる。

2　型にフランボワーズをまんべんなく広げ、**1**をゴムべらに伝わせながら静かに流し入れ[a]、ゴムべらの先端で表面をなじませて平らにする。

3　型をバットにのせ、バットに湯を深さ2cmほどまで注ぎ入れる。予熱したオーブンの下段に入れ、40〜45分焼く。

4　竹串を生地の縁から中心に向かって斜めに刺し、とろっとしたクリーム状の生地がつけばOK。型ごと室温において粗熱をとり、ラップをして冷蔵室に入れ、2時間以上冷やす。

5　ホイップクリームを作る。ボウルに生クリームとグラニュー糖を入れ、ボウルの底を氷水にあてながら泡立て器で泡立てる。とろみが強くなり、すくうと流れ落ちたあとが残るくらいになったらOK（七分立て）[b]。

6　**4**を型からはずし、回転台（なければ平皿など）にのせる。ホイップクリームの⅔量をのせ、パレットナイフで均一に塗り広げながら側面に落とす[c]。パレットナイフを立てて持ち、回転台を回しながら、側面も均一に塗り広げる[d]。回転台に落ちたホイップクリームはきれいにすくい取り、ボウルに戻す。

7　残りのホイップクリームを再び泡立て、**5**よりやや固めにする。丸口金（直径1cm）をつけた絞り出し袋に入れ、**6**の上面の縁に絞り出して土手を作り[e]、冷蔵室に入れておく。

8　ばらのジュレを作る。小さめのボウルに水とゼラチンを入れて[f]さっと混ぜ、冷蔵室で10分ほどふやかす。ばらの花びらはがくを切り落とす。

9　小鍋に**A**を入れて中火で熱し、ひと煮立ちしたら火を止める。ふやかしたゼラチンを加えてよく混ぜ[g]、ゼラチンが溶けたら別のボウルに移し、ボウルの底を氷水にあてながらゴムべらで混ぜて冷やす[h]。とろみがついたらばらの花びらを加え、ざっと混ぜ合わせる。

10　**7**の上面にばらのジュレを静かに流し入れ[i]、冷蔵室に入れて2時間ほど冷やす。

Note

・本書の中でもっとも華やかなケーキ。誕生日などのお祝い事にぴったり。

・デコレーションはケーキを完全に冷やしてからにする。ケーキに熱が残っているとホイップクリームがゆるくなってしまうおそれがある。

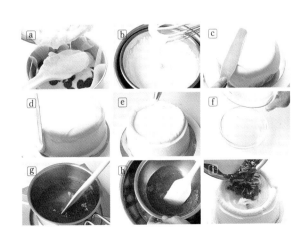

Fleurs de cerisier
桜

材料〔直径15cm丸型1台分〕

◆ 卵黄生地

卵黄　2個分（約40g）

グラニュー糖　45g

バター　60g

薄力粉　50g

ストロベリーパウダー　10g

牛乳　250㎖

桜の塩漬け　20g

◆ メレンゲ

卵白　2個分（約60g）

グラニュー糖　25g

ストロベリーパウダー
フリーズドライにしたいちごをパウダー状にしたもの。製菓材料店やインターネットで購入可能。

桜の塩漬け
桜の花びらを塩や梅酢などで漬けたもの。あんことの相性がよく、和菓子に用いられることも多い。塩抜きしてから使用する。

下準備

・牛乳は常温（約25℃）にもどす。

・バターは湯せんで溶かし、常温（約25℃）に冷ます。

・桜の塩漬けは水にさらして塩を抜き、水けを絞る。水を取り替えて再びさらし、さっと洗って[a]しっかりと水けを絞る。

・薄力粉とストロベリーパウダーは合わせてふるう。

・型にオーブンシートを敷く（P63参照）。

・バットにペーパータオル2枚を敷き、オーブンの天板にのせる。

・湯（分量外）を沸かし、約60℃に冷ます。

・オーブンは150℃に予熱する。

作り方

1＿ 卵黄生地を作る。ボウルに卵黄とグラニュー糖を入れ、泡立て器で全体が白っぽくなるまで大きな円を描くようにしてすり混ぜる。

2＿ 溶かしたバターを加え、全体が完全になじむように混ぜる。

3＿ ストロベリーパウダーと合わせた薄力粉を加え、大きな円を描くようにして、生地につやが出るまで2〜3分混ぜる。

4＿ 牛乳の¼量を加え、生地になじませるようにして混ぜ、よく溶きのばす。残りの牛乳と桜の塩漬けの¾量を加えてさらに混ぜ、全体をよくなじませる。

5＿ メレンゲを作る。別のボウルに卵白を入れ、ハンドミキサーの低速で30秒ほどほぐす。グラニュー糖の½量を加え、ボウルの中でハンドミキサーを大きく回しながら高速で30秒ほど泡立てる。残りのグラニュー糖を加えて30秒ほど泡立て、低速にしてさらに1分ほど泡立てる。つやがあり、すくうとつのがぴんと立つくらいになったらOK。

6＿ 卵黄生地にメレンゲを加え、泡立て器で生地を底からすくい上げるようにして5〜6回混ぜる（あまり混ぜ合わせない）。さらに表面に浮いているメレンゲを泡立て器の先端で軽く混ぜてほぐす。

7＿ 型に6を静かに流し入れ、ゴムべらの先端で表面をなじませて平らにし、残りの桜の塩漬けを全体に散らす。

8＿ 型をバットにのせ、バットに湯を深さ2㎝ほどまで注ぎ入れる。予熱したオーブンの下段に入れ、40〜45分焼く（焦げそうになったらアルミホイルをかぶせる）。

9＿ 竹串を生地の縁から中心に向かって斜めに刺し、とろっとしたクリーム状の生地がつけばOK。型ごと室温において粗熱をとり、ラップをして冷蔵室に入れ、2時間以上冷やす。型からはずし、好みの大きさに切り分ける。

Note
・お花見や春のホームパーティにぴったりの、いちご風味の桜の魔法のケーキ。
・トッピングの桜の塩漬けが焦げそうになったらアルミホイルをかぶせる。

{ Nouvel an }
お正月

材料〔15cmスクエア型1台分〕
◆ 卵黄生地

卵黄　2個分（約40g）

グラニュー糖　25g

サラダ油　40g

薄力粉　55g

牛乳　230mℓ

粒あん　130g

◆ メレンゲ

卵白　2個分（約60g）

グラニュー糖　25g

粒あん
こしあんとは異なり、小豆の皮をつけたまま つぶさずに作ったもの。豆の食感が強い。缶詰などで売っている。

下準備
・P6「基本の作り方」の下準備と同様にする。ただし牛乳は加熱せず、常温（約25℃）にもどすだけでよい（バニラビーンズも不要）。バターは不要。

作り方

1　P6〜7「基本の作り方」1〜8と同様に卵黄生地とメレンゲを作って混ぜ合わせ、150℃に予熱したオーブンで30〜35分焼く。ただし2でバターの代わりにサラダ油を少しずつ加える。4で牛乳を混ぜた後に、粒あんを加え、まんべんなく広がるように混ぜる。

2　竹串を生地の縁から中心に向かって斜めに刺し、とろっとしたクリーム状の生地がつけばOK。型ごと室温において粗熱をとり、ラップをして冷蔵室に入れ、2時間以上冷やす。型からはずし、好みの大きさに切り分ける。

Note
・和菓子のような味の魔法のケーキ。バターの代わりにサラダ油を使い、さっぱりとした食感に仕上げている。
・粒あんのぶんだけ卵黄生地のグラニュー糖は減らしている。
・ホイップクリームや余った粒あんを添えてもおいしい。

Moule

型について

15cm丸型（底がとれないもの）

本書では基本的に15cmの丸型を使用しています。「デコレーション型」などとも呼ばれます。材質はいろいろなものがありますが、熱伝導率のよいブリキ製がおすすめ。ただしブリキ型の場合、生地を長時間入れたままにしておくと錆びてしまいます。冷蔵室で冷やす際に、2～3時間以上おいておく場合は、別の容器に移しましょう。シリコン製の型を使用する場合は、オーブンシートを敷き込む必要はなくなりますが、火が入りづらいので焼成時間を長くしてください。オーブンシートの敷き方は下記の通り。

1_ 30cm四方ほどに切り出したオーブンシートの中央に型を置き、鉛筆で底をなぞる。　2_ 3回折りたたみ、外側を円く切り、鉛筆の線の手前まで縦に切り込みを入れる。　3,4,5_ これでOK。鉛筆で書いた面が下になるようにして型に敷き込む。

‖　　　　　　　　‖　　　　　　　　‖

15cmスクエア型

15cm丸型と同じ配合で焼けますが、面積は丸型よりも大きくなるので、少し低くなります。丸型に比べると中央に火が入りづらいので、焼き時間をやや長くするなどして調整してください。

1_ 30cm四方ほどに切り出したオーブンシートの中央に型を置き、鉛筆で底をなぞる。鉛筆の線の四辺を、鉛筆で書いた面とは逆方向に折り、写真のように4箇所に鉛筆の線の手前まで切り込みを入れる。　2_ 鉛筆で書いた面が下になるようにして型に敷き込む。

18cmパウンド型×2台

高さはもっとも低くなります。2台に生地を等分に流し入れてください。その際は、口が狭いのでレードルなどを使うとよいでしょう。

1_ 縦25cm×横30cmほどに切り出したオーブンシートの中央に型を置き、鉛筆で底をなぞる。鉛筆の線の四辺を、鉛筆で書いた面とは逆方向に折り、写真のように鉛筆の線の手前まで4箇所に切り込みを入れる。　2_ 鉛筆で書いた面が下になるようにして型に敷き込む。

ココット（大）×3個

サイズは直径10cmほど。そのままプレゼントにすることができます。焼き時間は30分ほどにしてください。口が狭いのでレードルなどを使って生地を流し入れます。

Note
・たとえば18cm丸型を使いたい場合は、卵を3個にし、ほかの材料も1.5倍にする。焼成時間は5～10分長くする。
・焼成時間は型の形や材質に左右される。オーブンのくせをふまえて、様子を見ながら焼くこと。

 キッシュみたいな
塩味の
魔法のケーキ

Quiche Lorraine magique

キッシュ・ロレーヌ風

サニーレタスのサラダ

たこのマリネ

Quiche Lorraine magique
キッシュ・ロレーヌ風

材料〔直径15cm丸型1台分〕

◆ 卵黄生地

　卵黄　2個分（約40g）

　オリーブオイル　小さじ2

　バター（加塩）　50g

　ディジョンマスタード　30g

　薄力粉　45g

　塩、こしょう　各少々

　牛乳　220㎖

◆ メレンゲ

　卵白　2個分（約60g）

ベーコン（ブロック）　50g

グリュイエール　50g

下準備

・牛乳は常温（約25℃）にもどす。

・バターは湯せんで溶かし、常温（約25℃）に冷ます。

・ベーコンは長さ2㎝、1㎝角の棒状に切る。

・グリュイエールは1㎝角に切る。

・薄力粉はふるう。

・型にオーブンシートを敷く（P63参照）。

・バットにペーパータオル2枚を敷き、オーブンの天板にのせる。

・湯（分量外）を沸かし、約60℃に冷ます。

・オーブンは150℃に予熱する。

作り方

1＿　卵黄生地を作る。ボウルに卵黄を入れて泡立て器でさっとほぐし、オリーブオイルを少しずつ加えながら混ぜ合わせる。

2＿　溶かしたバターを加え、全体が完全になじむように混ぜる。

3＿　マスタードを加え、全体が完全になじむように混ぜる。

4＿　薄力粉、塩、こしょうを加え、大きな円を描くようにして、生地につやが出るまで2〜3分混ぜる。

5＿　牛乳の¼量を加え、生地になじませるようにして混ぜ、よく溶きのばす。残りの牛乳を加えてさらに混ぜ、全体を液状にする。

6＿　メレンゲを作る。別のボウルに卵白を入れ、ハンドミキサーの低速で30秒ほどほぐす。ボウルの中でハンドミキサーを大きく回しながら高速で1分ほど泡立て、低速にしてさらに30秒ほど泡立てる。つやがあり、すくうとつのがぴんと立つくらいになったらOK。

7＿　卵黄生地にメレンゲを加え、泡立て器で生地を底からすくい上げるようにして5〜6回混ぜる（あまり混ぜ合わせない）。さらに表面に浮いているメレンゲを泡立て器の先端で軽く混ぜてほぐす。

8＿　型にベーコンとグリュイエールをまんべんなく広げ、7をゴムべらに伝わせながら静かに流し入れ、ゴムべらの先端で表面をなじませて平らにする。

9＿　型をバットにのせ、バットに湯を深さ2㎝ほどまで注ぎ入れる。予熱したオーブンの下段に入れ、30〜35分焼く。

10＿竹串を生地の縁から中心に向かって斜めに刺し、とろっとしたクリーム状の生地がつけばOK。型ごと室温において粗熱をとり、ラップをして冷蔵室に入れ、2時間以上冷やす。型からはずし、好みの大きさに切り分ける。

Note

・フランス、ロレーヌ地方の郷土料理であるベーコンとチーズのキッシュをアレンジした。

・グリュイエールはチーズフォンデュなどにも使われるスイスのハードチーズ。

・卵黄とオリーブオイルを合わせるときは、分離しないように少しずつ加えて、なじませながら混ぜる。

《 この章について 》

▶ 魔法のケーキはキッシュやケーク・サレのような塩味のケーキも作れます。普段の食事やホームパーティなどで活用してください。

▶ この章のレシピでは卵黄生地のバターには食塩使用のものを使用し、メレンゲにグラニュー糖は加えません。

▶ 併せてそれぞれの魔法のケーキによく合う前菜やサラダ、スープなども紹介します。ワインとの相性は抜群です。

サニーレタスのサラダ

材料〔4人分〕

サニーレタス　4枚

グリュイエール　適量

◆ドレッシング

　玉ねぎのすりおろし　大さじ1

　ディジョンマスタード　小さじ1

　レモン果汁　大さじ½

　塩　小さじ½

　こしょう　少々

　サラダ油　大さじ2

作り方

1＿　サニーレタスはひと口大にちぎって冷水に5分ほどさらし、ざるに上げて水けをきる。グリュイエールはピーラーで薄く削る。

2＿　ボウルにサラダ油以外のドレッシングの材料を入れ、泡立て器でさっと混ぜる。さらにサラダ油を少しずつ加えながら、よく混ぜ合わせる。

3＿　器にサニーレタスを盛り、ドレッシングをかけ、グリュイエールを散らす。

Note
・サニーレタス以外の葉野菜をミックスしたり、ミニトマトを添えるなどしてもおいしい。
・チーズはパルミジャーノ・レッジャーノでも可。

たこのマリネ

材料〔4人分〕

ゆでだこの足　100g

紫玉ねぎ　¼個

セロリの茎　½本分

セロリの葉　適量

ミックスビーンズ（缶詰）　100g

◆ドレッシング

　にんにくのすりおろし　少々

　レモン果汁　大さじ1

　塩　小さじ⅔

　こしょう　少々

　オリーブオイル　大さじ2

作り方

1＿　紫玉ねぎは縦に薄切りにする。セロリの茎は筋を除いて斜め薄切りにする。紫玉ねぎとセロリの茎を合わせて冷水に5分ほどさらし、ざるに上げて水けをきる。たこは幅7〜8mmのそぎ切りにする。セロリの葉は食べやすくちぎる。ミックスビーンズは汁けをきる。

2＿　ボウルにオリーブオイル以外のドレッシングの材料を入れ、泡立て器でさっと混ぜる。さらにオリーブオイルを少しずつ加えながら、よく混ぜ合わせる。

3＿　別のボウルにセロリの葉以外の1を入れ、ドレッシングを加えてよくあえる。ラップをして冷蔵室で1〜2時間冷やす。器に盛り、セロリの葉を散らす。

Note
・たこの代わりに刺身用のサーモンや白身魚でもおいしい。
・野菜がしんなりとしたら食べごろ。キリッと冷やした白ワインによく合う。

68

ルッコラとチコリのサラダ

いわしの香菜パン粉焼き

Figue, jambon, fromage
いちじく、生ハム、カマンベール

Figue, jambon, fromage
いちじく、生ハム、カマンベール

材料〔15cmスクエア型1台分〕

◆ 卵黄生地

　卵黄　2個分（約40g）

　はちみつ　大さじ2

　バター（加塩）　50g

　薄力粉　45g

　塩　小さじ⅔

　牛乳　250mℓ

◆ メレンゲ

　卵白　2個分（約60g）

ドライいちじく　30g

生ハム　50g

カマンベール　50g

くるみ　20g

下準備

・牛乳は常温（約25℃）にもどす。

・バターは湯せんで溶かし、常温（約25℃）に冷ます。

・くるみは160℃に予熱したオーブンで10分ほどローストし、粗熱をとって、粗く刻む。

・いちじくと生ハムは1cm角に切る。

・カマンベールは2cm角に切る。

・薄力粉はふるう。

・型にオーブンシートを敷く（P63参照）。

・バットにペーパータオル2枚を敷き、オーブンの天板にのせる。

・湯（分量外）を沸かし、約60℃に冷ます。

・オーブンは150℃に予熱する。

作り方

1＿卵黄生地を作る。ボウルに卵黄とはちみつを入れ、泡立て器で全体が完全になじむように混ぜる。

2＿溶かしたバターを加え、全体が完全になじむように混ぜる。

3＿薄力粉と塩を加え、大きな円を描くようにして、生地につやが出るまで2〜3分混ぜる。

4＿牛乳の¼量を加え、生地になじませるようにして混ぜ、よく溶きのばす。残りの牛乳を加えてさらに混ぜ、全体を液状にする。

5＿メレンゲを作る。別のボウルに卵白を入れ、ハンドミキサーの低速で30秒ほどほぐす。ボウルの中でハンドミキサーを大きく回しながら高速で1分ほど泡立て、低速にしてさらに30秒ほど泡立てる。つやがあり、すくうとつのがぴんと立つくらいになったらOK。

6＿卵黄生地にメレンゲを加え、泡立て器で生地を底からすくい上げるようにして5〜6回混ぜる（あまり混ぜ合わせない）。さらに表面に浮いているメレンゲを泡立て器の先端で軽く混ぜてほぐす。

7＿型にいちじく、生ハム、カマンベールをまんべんなく広げ、**6**をゴムべらに伝わせながら静かに流し入れる。ゴムべらの先端で表面をなじませて平らにし、くるみを全体に散らす。

8＿型をバットにのせ、バットに湯を深さ2cmほどまで注ぎ入れる。予熱したオーブンの下段に入れ、30〜35分焼く。

9＿竹串を生地の縁から中心に向かって斜めに刺し、とろっとしたクリーム状の生地がつけばOK。型ごと室温において粗熱をとり、ラップをして冷蔵室に入れ、2時間以上冷やす。型からはずし、好みの大きさに切り分ける。

Note

・いちじくの甘みが生ハムのおいしさを引き立てる魔法のケーキ。

・生ハムやチーズの塩けが強い場合は、塩の量を減らして調整する。

・シードルやスパークリングワインなどによく合う。

ルッコラとチコリのサラダ

材料〔4人分〕

ルッコラ　60g

チコリ　1個

◆ ドレッシング

　オリーブオイル　大さじ1½

　バルサミコ酢　大さじ1

　塩　小さじ⅓

　こしょう　少々

作り方

1＿　ルッコラは食べやすい大きさに切る。チコリは葉を1枚ずつはがし、幅3cmに切る。ルッコラとチコリを合わせて冷水に5分ほどさらし、ざるに上げて水けをきる。

2＿　ボウルにルッコラとチコリを入れ、ドレッシングの材料を個別に加え、全体をよく混ぜ合わせる。

Note

・ドレッシングは混ぜずに加え、野菜とあえるように合わせると、味に変化が出る。

・ローストしたくるみやアーモンドを散らしてもおいしい。

いわしの香草パン粉焼き

材料〔4人分〕

いわし（三枚おろし）　4尾分

塩、こしょう　各少々

◆ ころも

　パセリのみじん切り　大さじ4

　パン粉　大さじ3

　粉チーズ　大さじ1

オリーブオイル　大さじ1

作り方

1＿　いわしは塩、こしょうをふり、10分ほどおく。ころもの材料は混ぜ合わせる。

2＿　耐熱容器にオリーブオイル大さじ½を塗り、いわしの皮の面を上にして並べる。全体にころもをふり、残りのオリーブオイルを回しかける。

3＿　220℃に予熱したオーブンで10分ほど焼く。ころもがこんがりとすればできあがり。

Note

・いわしの代わりにあじで作ってもおいしい。

・途中で焦げそうになったら容器にアルミホイルをかぶせる。

Salami et romarin
サラミとローズマリー

ミネストローネ

チキンとズッキーニの串焼き

Tomates et basilic

トマトとバジル

Salami et romarin
サラミとローズマリー

材料〔15cm丸型1台分〕

◆ 卵黄生地

卵黄　2個分（約40g）

オリーブオイル　小さじ1

バター（加塩）　55g

薄力粉　55g

塩　小さじ2/3

こしょう　少々

ローズマリー（ドライ）　小さじ2

牛乳　230㎖

リコッタ　50g

◆ メレンゲ

卵白　2個分（約60g）

サラミ（ブロック）　80g

リコッタ　30g

下準備

・牛乳は常温（約25℃）にもどす。

・バターは湯せんで溶かし、常温（約25℃）に冷ます。

・サラミは3mm角に切る。

・リコッタはすべてほぐす。

・薄力粉はふるう。

・型にオーブンシートを敷く（P63参照）。

・バットにペーパータオル2枚を敷き、オーブンの天板にのせる。

・湯（分量外）を沸かし、約60℃に冷ます。

・オーブンは150℃に予熱する。

作り方

1＿ 卵黄生地を作る。ボウルに卵黄を入れて泡立て器でさっとほぐし、オリーブオイルを少しずつ加えながら混ぜ合わせる。

2＿ 溶かしたバターを加え、全体が完全になじむように混ぜる。

3＿ 薄力粉、塩、こしょう、ローズマリー、分量の牛乳から大さじ3～4を加え、大きな円を描くようにして、生地につやが出るまで2～3分混ぜる。

4＿ 残りの牛乳の1/4量を加え、生地になじませるようにして混ぜ、よく溶きのばす。残りの牛乳すべてとリコッタ50gを加えてさらに混ぜ、全体をよくなじませる。

5＿ メレンゲを作る。別のボウルに卵白を入れ、ハンドミキサーの低速で30秒ほどほぐす。ボウルの中でハンドミキサーを大きく回しながら高速で1分ほど泡立て、低速にしてさらに30秒ほど泡立てる。つやがあり、すくうとつのがぴんと立つくらいになったらOK。

6＿ 卵黄生地にメレンゲを加え、泡立て器で生地を底からすくい上げるようにして5～6回混ぜる（あまり混ぜ合わせない）。さらに表面に浮いているメレンゲを泡立て器の先端で軽く混ぜてほぐす。

7＿ 型にサラミとリコッタ30gをまんべんなく広げ、6をゴムべらに伝わせながら静かに流し入れ、ゴムべらの先端で表面をなじませて平らにする。

8＿ 型をバットにのせ、バットに湯を深さ2cmほどまで注ぎ入れる。予熱したオーブンの下段に入れ、35～40分焼く。

9＿ 竹串を生地の縁から中心に向かって斜めに刺し、とろっとしたクリーム状の生地がつけばOK。型ごと室温において粗熱をとり、ラップをして冷蔵室に入れ、2時間以上冷やす。型からはずし、好みの大きさに切り分ける。

Note

・さっぱりとしたリコッタがベース。軽い食べごたえの魔法のケーキ。

・つけ合わせにグリーンカールなどを添えてもおいしい。

ミネストローネ

材料〔4人分〕

玉ねぎ　1/2個　　にんじん　1/2本

トマト　1個　　セロリの茎　1/2本分

ベーコン（薄切り）　4枚

さやいんげん　50g

ロングパスタ（スパゲッティなど）　30g

粉チーズ　適量　　塩　小さじ2/3

こしょう　少々　　水　3カップ

オリーブオイル　大さじ1

作り方

1＿ 玉ねぎ、にんじん、トマト、セロリ（筋は除く）、ベーコンは1cm角に切る。さやいんげんは幅1cmに切る。

2＿ 鍋にオリーブオイルを中火で熱し、玉ねぎ、にんじん、セロリ、ベーコンを入れて炒める。玉ねぎがしんなりとしたら水を加える。

3＿ 煮立ったらふたをして弱火にし、2～3分煮る。トマトとさやいんげんを加え、さらに2～3分煮る。

4＿ 短く折ったロングパスタを加え、パッケージの表示時間通りに煮る。やわらかくなったら塩、こしょうで味を調え、器に盛り、粉チーズをふる。

Tomates et basilic
トマトとバジル

材料〔15cmスクエア型1台分〕

◆ 卵黄生地

| 卵黄　2個分（約40g）

| オリーブオイル　45ml

| 薄力粉　50g

| 塩　小さじ1

| こしょう　少々

| 牛乳　230ml

| ドライトマト　15g

| バジル（ドライ）　小さじ1

◆ メレンゲ

| 卵白　2個分（約60g）

モッツァレラ　100g

下準備

・牛乳は常温（約25℃）にもどす。

・ドライトマトは5mm角に切る。

・モッツァレラは幅5mmに切る。

・薄力粉はふるう。

・型にオーブンシートを敷く（P63参照）。

・バットにペーパータオル2枚を敷き、オーブンの天板にのせる。

・湯（分量外）を沸かし、約60℃に冷ます。

・オーブンは150℃に予熱する。

作り方

1　卵黄生地を作る。ボウルに卵黄を入れて泡立て器でさっとほぐし、オリーブオイルを少しずつ加えながら混ぜ合わせる。

2　薄力粉、塩、こしょう、分量の牛乳から大さじ3〜4を加え、大きな円を描くようにして、生地につやが出るまで2〜3分混ぜる。

3　残りの牛乳の¼量を加え、生地になじませるようにして混ぜ、よく溶きのばす。残りの牛乳すべてを加えてさらに混ぜ、全体を液状にする。

4　ドライトマトとバジルを加え、ざっと混ぜ合わせる。

5　メレンゲを作る。別のボウルに卵白を入れ、ハンドミキサーの低速で30秒ほどほぐす。ボウルの中でハンドミキサーを大きく回しながら高速で1分ほど泡立て、低速にしてさらに30秒ほど泡立てる。つやがあり、すくうとつのがぴんと立つくらいになったらOK。

6　卵黄生地にメレンゲを加え、泡立て器で生地を底からすくい上げるようにして5〜6回混ぜる（あまり混ぜ合わせない）。さらに表面に浮いているメレンゲを泡立て器の先端で軽く混ぜてほぐす。

7　型にモッツァレラをまんべんなく広げ、6をゴムべらに伝わせながら静かに流し入れ、ゴムべらの先端で表面をなじませて平らにする。

8　型をバットにのせ、バットに湯を深さ2cmほどまで注ぎ入れる。予熱したオーブンの下段に入れ、35〜40分焼く。

9　竹串を生地の縁から中心に向かって斜めに刺し、とろっとしたクリーム状の生地がつけばOK。型ごと室温において粗熱をとり、ラップをして冷蔵室に入れ、2時間以上冷やす。型からはずし、好みの大きさに切り分ける。

Note

・バターを使用せずにオリーブオイルだけで生地を作るレシピ。食感が軽くなる。

・塩の量は好みで加減する。

チキンとズッキーニの串焼き

材料〔4人分〕

鶏もも肉　1枚（約200g）

ズッキーニ　½本

A｜オリーブオイル　大さじ1

｜塩　小さじ½

｜ローズマリー（ドライ）　小さじ¼

｜こしょう　少々

オリーブオイル　大さじ½

塩　少々

作り方

1　鶏肉は余分な脂肪を取り除き、8等分に切る。ボウルにAを入れて混ぜ合わせ、鶏肉を加えてもみ込み、20分ほどおく。

2　ズッキーニは8等分の厚さ（約1.5cm）に切る。

3　竹串4本にそれぞれ鶏肉とズッキーニを2切れずつ交互に刺す。

4　フライパンにオリーブオイルを弱めの中火で熱し、3を並べ、ズッキーニに塩をふる。ふたをして4分ほど蒸し焼きにし、返してさらに3分ほど蒸し焼きにする。火が通ったらふたをとり、表面に焼き色をつける。

Note

・鶏肉の代わりにえびや帆立貝柱でもおいしい。

Saucisse et fromage
ソーセージとチーズ

トレビスとサニーレタスのくるみサラダ

赤パプリカのスープ

Saumon fumé et aneth
スモークサーモンとディル

Saucisse et fromage
ソーセージとチーズ

材料〔直径15cm丸型1台分〕

◆ 卵黄生地

卵黄　2個分（約40g）

バター（加塩）　60g

薄力粉　50g

カレー粉、塩　各小さじ1

こしょう　少々

牛乳　250ml

パルミジャーノ・レッジャーノ　20g

パセリのみじん切り　大さじ2

◆ メレンゲ

卵白　2個分（約60g）

ウインナソーセージ　4本（80g）

下準備

・牛乳は常温（約25℃）にもどす。

・バターは湯せんで溶かし、常温（約25℃）に冷ます。

・パルミジャーノ・レッジャーノはすりおろす。

・ソーセージは幅1cmに切る。

・薄力粉はふるう。

・型にオーブンシートを敷く（P63参照）。

・バットにペーパータオル2枚を敷き、オーブンの天板にのせる。

・湯（分量外）を沸かし、約60℃に冷ます。

・オーブンは150℃に予熱する。

作り方

1　卵黄生地を作る。ボウルに卵黄を入れ、泡立て器でさっとほぐす。

2　溶かしたバターを加え、全体が完全になじむように混ぜる。

3　薄力粉、カレー粉、塩、こしょう、分量の牛乳から大さじ3〜4を加え、大きな円を描くようにして、生地につやが出るまで2〜3分混ぜる。

4　残りの牛乳の¼量を加え、生地になじませるようにして混ぜ、よく溶きのばす。残りの牛乳すべて、パルミジャーノ・レッジャーノ、パセリを加えてさらに混ぜ、全体を液状にする。

5　メレンゲを作る。別のボウルに卵白を入れ、ハンドミキサーの低速で30秒ほどほぐす。ボウルの中でハンドミキサーを大きく回しながら高速で1分ほど泡立て、低速にしてさらに30秒ほど泡立てる。つやがあり、すくうとつのがぴんと立つくらいになったらOK。

6　卵黄生地にメレンゲを加え、泡立て器で生地を底からすくい上げるようにして5〜6回混ぜる（あまり混ぜ合わせない）。さらに表面に浮いているメレンゲを泡立て器の先端で軽く混ぜてほぐす。

7　型にソーセージをまんべんなく広げ、6をゴムべらに伝わせながら静かに流し入れ、ゴムべらの先端で表面をなじませて平らにする。

8　型をバットにのせ、バットに湯を深さ2cmほどまで注ぎ入れる。予熱したオーブンの下段に入れ、35〜40分焼く。

9　竹串を生地の縁から中心に向かって斜めに刺し、とろっとしたクリーム状の生地がつけばOK。型ごと室温において粗熱をとり、ラップをして冷蔵室に入れ、2時間以上冷やす。型からはずし、好みの大きさに切り分ける。

Note

・パルミジャーノ・レッジャーノの代わりに粉チーズでも可。

・ソーセージはチョリソーなどの味が強いものを使うとよりおいしくなる。

トレビスとサニーレタスのくるみサラダ

材料〔4人分〕

トレビス　3〜4枚

サニーレタス　4〜5枚

くるみ　30g

◆ ドレッシング

白ワインビネガー　大さじ1

塩　小さじ1

こしょう　少々

オリーブオイル　大さじ2

作り方

1　トレビスとサニーレタスは食べやすい大きさにちぎり、合わせて冷水に5分ほどさらし、ざるに上げて水けをきる。

2　くるみは160℃に予熱したオーブンで10分ほどローストし、粗熱をとって、粗く刻む。

3　ボウルにオリーブオイル以外のドレッシングの材料を入れ、泡立て器でさっと混ぜる。オリーブオイルを少しずつ加えながら、よく混ぜ合わせる。

4　器にトレビスとサニーレタスを盛り、くるみを散らし、ドレッシングをかける。

Note

・葉野菜は好みのものでOK。マッシュルームや玉ねぎ、チーズなどを追加してもよく合う。

・くるみはオーブンではなくフライパンでからいりしても可。

Saumon fumé et aneth
スモークサーモンとディル

材料〔直径15cm丸型1台分〕

◆ 卵黄生地

- 卵黄　2個分（約40g）
- バター（加塩）　50g
- 薄力粉　50g
- 塩　小さじ1
- こしょう　少々
- 牛乳　250㎖
- レモンの皮　¼個分
- ディルのみじん切り　小さじ2

◆ メレンゲ

- 卵白　2個分（約60g）

スモークサーモン　50g

◆ クリーム

- サワークリーム　30g
- 塩　少々

ディル　適量

下準備

・牛乳は常温（約25℃）にもどす。

・バターは湯せんで溶かし、常温（約25℃）に冷ます。

・レモンの皮はよく洗って水けを拭き取り、みじん切りにする。

・スモークサーモンは幅3cmに切る。

・薄力粉はふるう。

・型にオーブンシートを敷く（P63参照）。

・バットにペーパータオル2枚を敷き、オーブンの天板にのせる。

・湯（分量外）を沸かし、約60℃に冷ます。

・オーブンは150℃に予熱する。

作り方

1_ 卵黄生地を作る。ボウルに卵黄を入れ、泡立て器でさっとほぐす。

2_ 溶かしたバターを加え、全体が完全になじむように混ぜる。

3_ 薄力粉、塩、こしょう、分量の牛乳から大さじ3〜4を加え、大きな円を描くようにして、生地につやが出るまで2〜3分混ぜる。

4_ 残りの牛乳の¼量を加え、生地になじませるようにして混ぜ、よく溶きのばす。残りの牛乳すべて、レモンの皮、ディルを加えてさらに混ぜ、全体を液状にする。

5_ メレンゲを作る。別のボウルに卵白を入れ、ハンドミキサーの低速で30秒ほどほぐす。ボウルの中でハンドミキサーを大きく回しながら高速で1分ほど泡立て、低速にしてさらに30秒ほど泡立てる。つやがあり、すくうとつのがぴんと立つくらいになったらOK。

6_ 卵黄生地にメレンゲを加え、泡立て器で生地を底からすくい上げるようにして5〜6回混ぜる（あまり混ぜ合わせない）。さらに表面に浮いているメレンゲを泡立て器の先端で軽く混ぜてほぐす。

7_ 型にスモークサーモンをまんべんなく広げ、6をゴムべらに伝わせながら静かに流し入れ、ゴムべらの先端で表面をなじませて平らにする。

8_ 型をバットにのせ、バットに湯を深さ2cmほどまで注ぎ入れる。予熱したオーブンの下段に入れ、35〜40分焼く。

9_ 竹串を生地の縁から中心に向かって斜めに刺し、とろっとしたクリーム状の生地がつけばOK。型ごと室温において粗熱をとり、ラップをして冷蔵室に入れ、2時間以上冷やす。

10_ クリームを作る。ボウルにサワークリームと塩を入れ、泡立て器で混ぜる。

11_ 9を型からはずし、好みの大きさに切り分ける。クリームをスプーンですくい、形を整えてケーキにのせ、ディルを飾る。

Note

・サーモンとディルは相性抜群。白ワインによく合う魔法のケーキ。

・レモンは国産の、農薬、ポストハーベスト不使用のものを使うこと。

・スモークサーモンの塩けが強い場合は、卵黄生地の塩を小さじ⅔ほどにする。

赤パプリカのスープ

材料〔4人分〕

- 赤パプリカ　2個
- 玉ねぎ　½個
- オリーブオイル　大さじ1
- 水　2カップ
- 塩　小さじ1
- こしょう　少々

作り方

1_ パプリカは半分に切ってへたと種を取り除き、予熱した魚焼きグリルで強火で焼く。表面が焦げたら冷水にとり、薄皮をむいて水けをきり、薄切りにする。玉ねぎは薄切りにする。

2_ 鍋にオリーブオイルを中火で熱し、玉ねぎを入れて炒める。しんなりとしたらパプリカを加えてさっと炒め、水を加える。

3_ 煮立ったらあくを取り、ふたを少しずらしてのせ、弱火で10分ほど煮る。火を止め、粗熱をとる。

4_ ミキサーかブレンダーに3を入れ、なめらかになるまで攪拌する。

5_ 鍋に4を戻し、弱火にかけて温め、塩、こしょうで味を調える。

荻田尚子
Hisako Ogita

菓子研究家。大学卒業後、製菓専門学校、フランス菓子店を経て、料理研究家・石原洋子氏のアシスタントを務めたのちに独立。本格的なフランス菓子の知識と技術をベースに、家庭でも作りやすく、おいしいお菓子のレシピを提案している。著書に『ホームメイドアイスバー』(主婦の友社)、『ハンドミキサーでふわふわスポンジとサクサクタルト』(主婦と生活社)など。

調理アシスタント　高橋玲子
撮影　三木麻奈
スタイリング　佐々木カナコ
デザイン　塙美奈(ME & MIRACO)
構成・文　佐藤友恵
イラスト　よしいちひろ
校閲　滄流社
編集　小田真一

［食材協力］
クオカ
http://www.cuoca.com/
☎ 0120-863-639

［撮影協力］
UTUWA
http://www.awabees.com/user_data/utuwa.php
東京都渋谷区千駄ヶ谷3-50-11 明星ビルディング1F

魔法のケーキ

著　者　荻田尚子
編集人　泊出紀子
発行人　永田智之
発行所　株式会社主婦と生活社
　　　　〒104-8357 東京都中央区京橋3-5-7
　　　　［編集部］☎ 03-3563-5321
　　　　［販売部］☎ 03-3563-5121
　　　　［生産部］☎ 03-3563-5125
　　　　http://www.shufu.co.jp/
製版所　東京カラーフォト・プロセス株式会社
印刷所　大日本印刷株式会社
製本所　株式会社若林製本工場

ISBN978-4-391-14699-8